はじめに

ChatGPTの登場は、世界に [illegible] 登場以前、このような文章生成 [illegible] み知られていましたが、2022年 [illegible] での利用が広がりました。スマホのように、ChatGPTが人々の生活に目に見える形で変化をもたらすことは少ないかもしれませんが、仕事や日常生活をサポートするツールとしての存在感は、日々大きくなりつつあるといっても過言ではありません。

ChatGPTを最大限に活用し、生産性を向上させたいと願ったとき、最も重要なのは何でしょうか。実は「プロンプトの書き方」なのです。ChatGPTの能力は、プロンプトの質に大きく左右されるため、これを習得することは必須です。

しかし、ChatGPTは直感的な使い方が可能で、自然言語によるプロンプト入力に対応しています。そのため、初心者でも手軽に始められる一方、効果的なプロンプトの書き方をマスターすることが難しくなっています。ChatGPTは曖昧なプロンプトにも柔軟に応答しますので、「絶対のルール」は存在しません。そのため、より適切なプロンプトの書き方を追求するのはむしろ難しいともいえます。

そこでこの本では、さまざまなプロンプトの例を紹介し、読者が直接ChatGPTと対話する際の参考とすることを目的としています。ChatGPTの利用シーンは無限大です。本書のプロンプトを試して、その応答を体験し、日常や仕事場での応用の参考にしてください。特に、仕事の枠を超えた日常生活のシーンにも焦点を当てていますので、多様なシチュエーションでの活用を想像してみてください。

本書が、皆さんの日常や業務のサポートとなることを心から願っています。

CONTENTS

仕事10倍速！ 会話型AIの超便利ワザ

ChatGPT 120%質問《プロンプト》術

ChatGPTビジネス研究会

宝島社

本書の注意点

●本書は、2023年9月中旬の情報をもとに掲載しています。製品、サービス、アプリの概要などは、事前のお知らせなしに内容・価格が変更されたり、販売・配布が中止されたりすることがあります。あらかじめご了承ください。

●本書では、Windows 11/10、Google Chromeのそれぞれの最新版をもとに画面を掲載し、動作を確認しています。OSのバージョンや機種によっては、動作や画面が異なることがあります。

●本書に掲載したアプリ名、会社名、製品名などは、米国およびその他の国における登録商標または商標です。本書において、TM、©マークは明記しておりません。

●本書の掲載内容に基づいて操作する場合、操作ミスなどによる不具合の責任は負いかねます。

●本書に関するご質問は、封書（返信用切手を同封の上）のみで受付いたします。追って封書で回答させていただきます。内容によっては、回答に時間を要することがございます。

●本書では、紙数の関係でChatGPTの回答の一部を省略しています。省略した箇所には「前略」または「中略」または「後略」と示しています。

●ChatGPTなど文章生成AIは、質問のたびに毎回異なる回答を行います。本書に掲載した回答は、一例に過ぎません。

本書のプロンプトを簡単にパソコンに読み込む

本書のプロンプトをパソコンで読み込みたいときは、スマホを使うと便利です。読み込みには「Google」アプリを利用します。iPhone/iPadではApp Storeからインストールしてください。Androidスマホは初期導入済みです。

1 「Google」アプリを起動

「Google」アプリを起動し、パソコンと同じGoogleアカウントでログインしておく。カメラアイコンをタップ

2 プロンプトを撮影

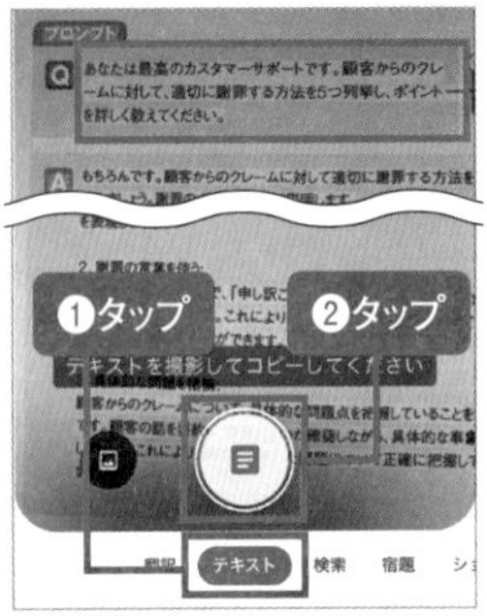

下のメニューから「テキスト」をタップし、コピーしたいプロンプトをすべて画面に入れてから下のシャッターアイコンをタップ

3 テキストをコピー

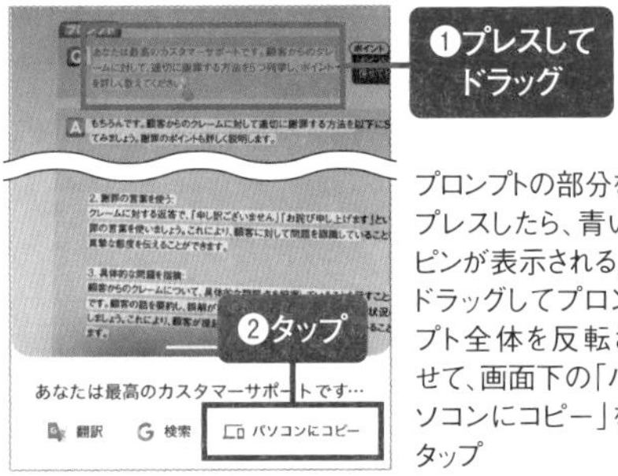

プロンプトの部分をプレスしたら、青いピンが表示される。ドラッグしてプロンプト全体を反転させて、画面下の「パソコンにコピー」をタップ

4 パソコンにテキストを送付

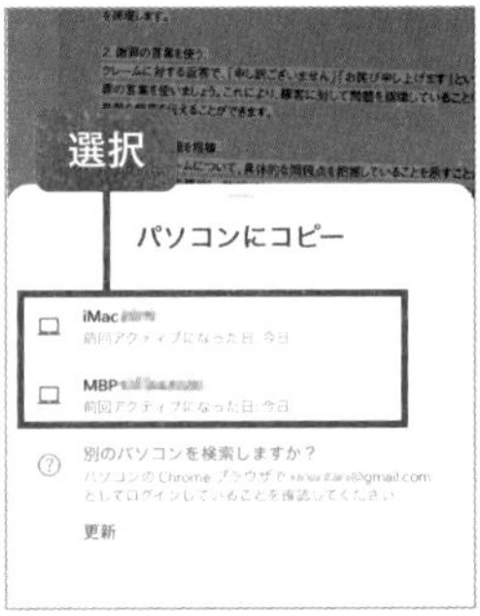

「パソコンにコピー」の下から目的のパソコンを選んでタップすると、そのパソコンのクリップボードにコピーされる。あとはChatGPTの入力欄にペーストすればよい

本書で紹介したスマホアプリのQRコード

本書で紹介したスマホアプリをインストールしたいときは、右のQRコードを読み込んでご利用ください。

ChatGPT

作者：OpenAI
価格：無料（アプリ内課金あり）

iOS　Android

第1章

ChatGPTはプロンプトの書き方が最重要

プロンプトがなぜ重要なのか

ChatGPTの使いこなしには「プロンプト」が最重要

2022年11月、OpenAIによってリリースされたChatGPTは、あっという間に多くのユーザーを獲得し、空前絶後の速度で巨大なサービスへと成長しました。そのスピードは、ほかの有名なプラットフォームを大きく凌駕するものとなっています。

ChatGPTはおもにテキスト生成を目的として設計されたプログラムの一種であり、日本語や英語など自然言語によって指示することができます。これまでのプログラムはプログラミング言語による指示が一般的でしたが、ChatGPTは自然言語で複雑な命令を与えることが可能です。そのため、利用者が大幅に広がりました。

ChatGPTへの自然言語による命令は「プロンプト」と呼ばれます。大半の命令はプロンプトによってChatGPTに与えられるため、**プロンプトの書き方がChatGPTの使いこなしには最も重要なものとなります。つまり、よいプロンプトを書けば、優れた結果を得られ、悪いプロンプトを書けば、劣った結果しか得られません。**

■「よいプロンプト」と「悪いプロンプト」

では、いったいどんなプロンプトが「よいプロンプト」で、どんなプロンプトが「悪いプロンプト」なのでしょうか。**よいプロンプトとは、知りたい情報をうまく引き出す具体的な文章のことです。**逆に、悪いプロンプトとは、ぼんやりした情報の聞き方をしたり、一貫性のない質問で構成されていたりするものです。

例を挙げてみましょう。気候変動に関する詳細な情報を得たいときに、「気候変動の原因と影響について説明してください」と質問すると、望ましい回答が返ってきますが、「気候について教えてください」と質問したのでは、ほとんど気候変動のことはわかりません。

あるいは、「太陽電池を推進する政策はエコですか」というYes/Noで回答できる質問よりも、「太陽電池を推進する政策がエコである理由や、その現状を教えてください」のような形式の質問のほうが明確な情報を得ることができます。

ChatGPTは最新情報を知らない

ChatGPTは検索エンジンとは異なり、現在の情報をWebから取得する機能は標準では使えません。検索エンジンなら、昨日起こった大きな出来事を検索すれば、ニュースサイトがヒットするはずです。しかし、ChatGPTはWebなどから、あらかじめ取得した文章を分析して質問に答えます。そのため、**最新情報に対する質問には答えられません。**

具体的にいうと、2021年9月（無料版）あるいは2022年1月（Plus、有料版）までの情報しかChatGPTは持っていません。それ以降の情報を知らないわけです。無理やり聞き出すと、事実とはまったく異なる情報が提供されてしまいます。

プロンプト

Q 赤羽　焼き鳥　おすすめ

A （前略）
1. 鳥しき: 新鮮な食材と炭火焼きの焼き鳥が楽しめる店舗で、地元の人々に愛されています。
2. 鳥貴族: 全国的に展開しているチェーン店で、リーズナブルな価格で美味しい焼き鳥を楽しむことができます。
3. 串八: こちらも新鮮な素材を使った焼き鳥が楽しめるお店で、ランチメニューも充実しています。
4. 芳林: 個室があるため、大人数での宴会にも適している焼き鳥屋です。
5. 鳥善: こじんまりとした店舗ですが、ここでも美味しい焼き鳥を楽しむことができます。

ここに掲載されている情報は、チェーン店の情報を除き、すべて誤っています。この回答に続いて、店舗の情報をたずねると所在地などの回答が返ってきますが、こちらもすべて誤っていました。

このように、ChatGPTと検索エンジンとはまったく異なることを理解したうえで、プロンプトを記述する必要があるのです。

プロンプトの改善方法① 完全な文でたずねる

プロンプトは単語の羅列ではなく、文の形にする

ChatGPTは、非常に大量の情報を保持しているため、よほど新しいことやマニアックなことを聞かない限り、正解に近い情報を返してきます。しかし、プロンプトが簡単すぎたり、意図が取りづらかったりすると、意味をうまく把握できず、見当違いの回答を返します。

まずは実例を見てみましょう。よいプロンプトと悪いプロンプトの特徴や実例を知りたいとき、「ChatGPT　プロンプト　よい　悪い」というプロンプトを記述すると、ChatGPTからは優れた回答が返ってきづらくなります。

もし優れた回答を得たいのであれば、**プロンプトは「ChatGPTのよいプロンプトと悪いプロンプトの特徴と実例を教えてください」などと、完全な文でたずねるようにします。**

似たような例をいくつか挙げておきます。

悪い例: ジョーク　ネタ
よい例: 日本人に通じる日本語の冗談を教えてください

「ジョーク　ネタ」では、英語圏でしか通じないようなジョークが返されることがあります。これは、ChatGPTが英語をベースとして作られたシステムだからです。

また、第二次世界大戦に日本が参戦した経緯を経済の観点から知りたいときに、どういうプロンプトを記述すればいいのでしょうか。

悪い例: 戦前の日本経済
よい例: 第二次世界大戦直前の日本経済の状況を説明してください

「戦前の日本経済」では、第二次大戦よりもかなり前から解説が始まるため、経済面における第二次大戦参加に至る経緯は短く触れられるだけになりがちです。**プロンプトは、なるべく文の形にしてChatGPTに指示するようにしましょう。**

プロンプトの改善方法② 役割を与える

ChatGPTに与える役割が変わると回答も変わる

ChatGPTの回答は、ChatGPTに与える役割によっても変わってきます。たとえば、円周率の求め方を解説する際、プロンプトで「あなたは小学校の教師です」と記述したときと、「あなたは大学の数学科の教授です」と記述したときでは、回答に大きな違いが生じます。前者では、小学生に円の周りに細かく直線を引いて、その長さを測るような回答を返してきます。一方、後者では、いくつかの高等な数学的手法が挙げられます。どういう回答が欲しいかを考えたうえで、与える役割を決めるようにしましょう。

また、役割に加えて、**誰に対する回答なのか、どういう目的があるのかも追加すると、回答の品質が上がりやすくなります。**

以下、プロンプトの実例を挙げておきます。

プロンプト

Q 小学校の算数の授業で、円周率3.14の根拠を児童に深く理解させるため、実際に児童自身に円周率を計算させようと思います。どのようなステップで円周率を求めさせるといいでしょうか。

プロンプト

Q あなたは数学科の大学教授です。高校生に対する特別講義で、円周率の求め方を解説したいので、大学の数学を使った方法を教えてください。

また、**役割を与える際、「最高の」を付けると回答の品質が上がるといわれています。**「あなたは小学校の教師です」よりも「あなたは小学校の最高の教師です」のほうが、回答が詳しくなります。ただし、詳しい回答のほうが望ましいかどうかはケースバイケースなので、詳しすぎる場合は「最高の」を付けないプロンプトを記述してみてもいいでしょう。

プロンプトの改善方法③ 出力形式を指定する

「箇条書きで」「○個挙げて」「表形式で」などが便利

よいプロンプトを記述するためには、出力形式を指定するのも有効です。出力形式とは、回答の形式に制限を加えるもので、たとえば**「箇条書きで」「○個挙げて」「表形式で」などがあります。**

制限を加えると、回答の品質が落ちてしまうのではないかと思うかもしれませんが、実は逆です。ある程度の制限をかけないと、ごく一般的な連想に基づいた回答になってしまい、期待しているような情報を得ることができません。

箇条書きや表形式を指定することによって、読み手が理解しやすい回答を生成させるのも、出力形式を指定するメリットの1つです。また、「○個挙げて」と条件を追加すれば、箇条書きを併用して指定した個数の回答を返してくれます。

以下、プロンプトの実例を挙げておきます。

プロンプト

Q 太陽光発電のメリットを箇条書きで教えてください。

プロンプト

Q Excelを使った事務作業の効率化に役立つテクニックを5つ挙げてください。

プロンプト

Q iPhoneとAndroidの特徴を表形式にしてまとめてください。

プロンプトの改善方法④ プロンプトを分割する

適切に区切ると意図が伝わりやすくなる

ChatGPTは、従来のAIと比べると、人間が書いた文章への理解力が非常に高いといえます。ゆえに、プロンプトにある程度のいい間違いや省略があったとしても、それなりに意味の通った回答を返してくれます。

また、質問・指示と、それに伴う条件を適当な順序で並べたとしても、ある程度のクオリティの回答が得られます。しかし、ChatGPTの性能を最大限発揮したいのであれば、**プロンプトは内容にしたがって分割し、分け目に記号を配置するなどして、ChatGPTが誤解しないように配慮する必要があります。**

たとえば、文章の要約をさせたいときは、要約対象の文章の前に「#文章」と記述するか、「"　"」で囲むことで回答の精度が若干上がります。

プロンプト

Q 以下の文章を要約してください。

\# 文章
(要約対象の文章をここに配置する)

さらに、プロンプトを記述する人間側も、プロンプトが整理されて箇条書きになっていれば、あとで修正・追加したいポイントを素早く見つけることができます。

プロンプト

Q 以下の文章を要約してください。

\# 条件
- 5文程度に短くする
- 教師が生徒に優しく指導するような文体にする

\# 文章
(要約対象の文章をここに配置する)

プロンプトの改善方法⑤ 何度もやりとりする

一発で正解を得ようとしないほうがいい

ChatGPTのプロンプトの記述方法にはさまざまなテクニックがありますが、完璧なプロンプトを目指すと、むしろ時間がかかってしまうことがあります。特に、複雑なプロンプトを記述して高品質な回答を得ようとすると、何度も調整が必要になってきます。

しかし、ChatGPTは文脈を記憶する機能が備わっているため、一度のプロンプトと回答のやりとりですべてを解決しようとせず、**プロンプトを何回もChatGPTに投げかけることで効果的な回答を得ることができます**。一回のやりとりで望む回答を得られるようにプロンプトをあれこれと調整するより、細かく何度もやりとりを重ねるほうが時間の節約にもなります。

ここでは、電気自動車の普及が温室効果ガス排出抑制につながることについて、小学生への説明を書いてもらうためのプロンプトを作成してみます。

プロンプト

Q 電気自動車のメリットを教えてください。

Q 環境に関する要素について、もっと詳しく教えてください。

Q 電気自動車が、温室効果ガスの排出抑制に効果的である理由を3つ挙げてください。

Q その3つを小学生に理解できるように解説してください。

このようにプロンプトに指示・質問を重ねていけば、求める情報を得やすくなります。

プロンプトの改善方法⑥ 英語で質問する

日本語で書いてから英語に翻訳する

ChatGPTは、大量の文章を集めて学習し、与えられたプロンプトに続いてどんな文章が来るべきかを計算して回答を生成します。このとき、学習対象となる文章には、英語のものが多く、日本語のものはやや少なめとなっています。

そのため、同じ文章をプロンプトとして与えてみても、英語での回答のほうが日本語よりも正確かつ詳細なものになりやすいといえます。日本語でたずねて回答に満足できないときは、**英語でプロンプトを記述してみましょう。回答の情報量が若干増えるのがわかります。**

ただ、英語でプロンプトを書くのはハードルが高いと感じる人も多いでしょう。そんなときは、翻訳アプリを使って日本語を英語に訳してから、プロンプトとしてChatGPTに入力します。

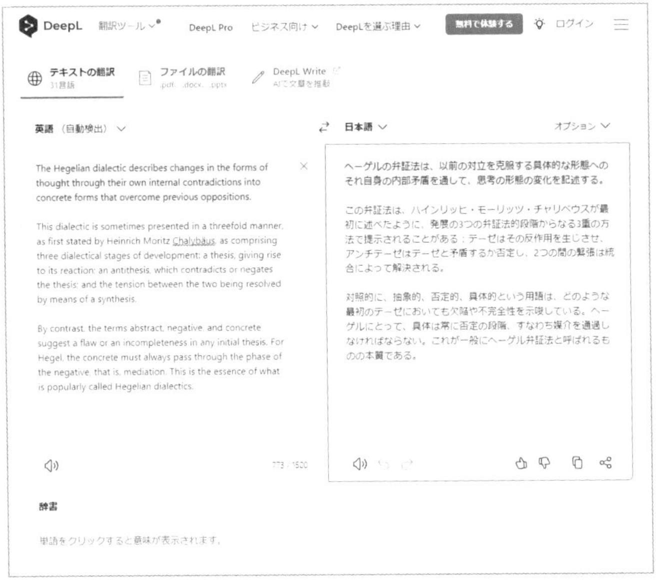

翻訳アプリの「DeepL」は、自然な翻訳文が得られるため、利用者も多い。ブラウザーで翻訳することもできるし、アプリをダウンロードして利用することも可能だ
https://www.deepl.com/ja/translator

あるいは、ChatGPTに翻訳させるのもいいでしょう。プロンプトとして「以下の文章を英語に翻訳してから、続きの文章を書いてください」と記述し、それに続いて翻訳したい文章を入力します。

プロンプトの改善方法⑦ 必須のキーワード

ひとことで回答品質を上げる「魔法の言葉」を使う

ChatGPTの回答に不満があるときに試したいのが「**ステップバイステップで**」というフレーズです。この言い回しを利用すると、ChatGPTは回答に至るまでのプロセスを一段一段確認しながら進めるため、結果として得られる回答がより詳細になり、誤りも少なくなる可能性があります。

プロンプト

Q Excelマクロの作り方をステップバイステップで教えてください。

\# マクロの機能
\- アクティブシートを新しいブックに切り出す

ChatGPTでプロンプトに必要な情報を盛り込めず、回答が今ひとつしっくりこないことがあるかもしれません。そんな場合は、不足している情報は何かをChatGPTにたずねてみる手もあります。プロンプトの最後に「**最高の結果を得るために必要な情報が欠けていたら、私に質問してください**」と追加します。

プロンプト

Q 最高の結果を得るために、訪問地や予算、滞在日数などの詳細が不足していれば、私に質問してください。国内旅行プランを提案してください。

また、ChatGPTは知らない単語がプロンプトに含まれていた場合、類推して「それっぽい」回答を生成することがあります。正確なことを知りたいなら、「**回答不能であれば、回答できないと答えてください**」とプロンプトに付け加えましょう。すると、回答不能のとき、誤った回答を生成してしまうことを避けられます。

プロンプト

Q ロケットを使わずに月に行きたいです。何か方法はありませんか。回答不能であれば、回答できないと答えてください。

それから、回答に箇条書きが含まれているとき、通常の文章で答えてほしいなら「**箇条書きを使わず、段落で書き直してください**」などと次のプロンプトで指示します。すると、箇条書きを使わない回答が返ってきます。

プロンプトの改善方法⑧ 聞くべきでないこと

「ChatGPTは使えない」と判断する前に

ChatGPTの利用者が増えるにつれて、「ChatGPTは使えないサービスだ」と感じる人も出てきました。こういう人の大半は、「聞くべきでないこと」をChatGPTにたずねていることが多いといえます。

たとえば、自分で正否を判断しづらい情報をChatGPTに聞くのはおすすめできません。「プラトンの弁証法とはどんなものですか」「モンテカルロ法の具体的な計算方法について教えてください」「佐久間信盛が守る城が崩れた出来事はどう呼ばれていますか」といった質問は、よく知っている人でなければ回答の情報が正しいかどうかを判断できません。これらの質問は、ChatGPTに聞いてもあまり意味がないのです。

では、どのようにChatGPTを使えばいいのでしょうか。

■ 内容が正確かどうか確認できるタスクを行わせる

文章の要約や文字列の処理、プログラムのコードの作成など、**結果を自身で確認できるタスクを実行させるのはおすすめできます。**たとえば、文章の要約に関しては、要約前と要約後の文章を比較して、正しく要約できているかをチェック可能です。Excelマクロのコードなら、提供されたコードを実際に動かしてみて正しく動作するか確認できます。

■ 正解が決まっていない問題に対して意見を求める

もう1つの使い方は、**正解が決まっていないテーマを扱うことです。**ChatGPTは感情に関連する質問に対しても利用できます。たとえば、「気分が落ち込んだときに何をすればよいか?」といった質問に対して、参考意見として回答を得ることが可能です。

ChatGPTの制約を理解したうえで賢く活用すれば、多くのタスクをサポートする有用なツールとなります。以上のような使い方を心がけ、ChatGPTの持つ潜在的な力を最大限に引き出すようにしましょう。

プロンプトの基本形を知っておく

基本形をベースにカスタマイズすると速い

ChatGPTのプロンプトの記述方法でまず最初に理解しておくべきことは、**「こうでなければならない」という厳格なルールは存在しない**という点です。したがって、ユーザーは自由な形でプロンプトを記述して、指示や質問を行うことができます。

とはいえ、「このように書けば、ChatGPTの回答の品質がよくなる可能性が高い」、あるいは「こう書けば、人間がプロンプトの中身を理解しやすい」といった傾向はあります。

ここでは、そういった方向性を取り入れたプロンプトの基本形を解説します。

■プロンプトの基本形

①役割
②指示・質問
③目的
④条件
⑤回答サンプル
⑥処理対象のデータ
⑦出力形式

それぞれの項目について解説していきますが、その前にすべての項目が常に必要なわけではないことに注意してください。**どうしても必要なのは②指示・質問だけです。**それ以外は、何をChatGPTにさせたいかによって、必要な項目が変わってきます。また、順番も決まっていません。ただし、②指示・質問はなるべく前に置くことが推奨されています。

①役割

ここでは、**ChatGPTにどんな役割を担わせるかを決めます。**「あなたは数学科の大学教授です」「あなたは法律に詳しいジャーナリストです」などと記述することで、ChatGPTに生成させたい回答の方向性を決めます。

②指示・質問

ChatGPTに「させたいこと」をここで記述します。なるべく具体的に記述することで、回答の品質が上がります。この部分がプロンプトのキモとなる部分なので、いかなるプロンプトもここを省略すべきではありません。

③目的

何のために②指示・質問をChatGPTに実行させようとしているのかを記述します。たとえば、円周率の求め方を解説する際、「小学校の算数の授業で使うため」と「大学の理系学部のゼミ発表で使うため」とでは、結果が大きく変わってきます。前者では、小学生向けの解説で構成されるのに対して、後者は大学数学レベルの解説になります。

④条件

回答生成時にChatGPTに守ってほしい条件を列挙します。明瞭な内容でなければ無視される確率が高くなるので、はっきり理解しやすく記述するようにしましょう。

⑤回答サンプル

言葉で説明しづらい処理をChatGPTに実行させたいときは、例を挙げると、よい結果が得られやすくなります。例が多いほうが精度が上がりますが、矛盾した例を与えると、当然ながら回答が不安定になります。

⑥処理対象のデータ

たとえば文章を要約したり、表を処理したりする作業をChatGPTにやらせたいときは、その対象をプロンプトで与えます。

⑦出力形式

回答をどんな形で出力してほしいのか、指定があればここに記述します。「箇条書きで」「段落で」「表形式で」などを指定できます。

プロンプトの内容によっては、さらに情報を追加します。

では、これらの項目を含んだプロンプトを紹介しましょう。ここでは、商品販売サイトに掲載する製品紹介のコピーを作ってもらいます。製品紹介には製品の特徴を含めたいので、特徴を箇条書きにしてプロンプトに追加しています。回答サンプルは必須ではありませんが、文体や雰囲気を既存のものと揃えたいときは、それらを入力することで回答の品質がかなり上がります。

プロンプト

Q

役割
あなたは最高のコピーライターです。

指示・質問
Androidタブレットのキャッチコピーを5個作ってください。

製品の特徴
・最新のチップセットA9を搭載
・Nantoka TVに対応し、映画・ドラマを簡単視聴できる
・10.9インチの高精細液晶搭載、解像度は2560×1600ドット、画素密度284ppi
・本体重量323gで、同サイズのタブレットでは最軽量クラス
・OSにAndroid 13を採用
・背面・前面ともに8メガピクセルのカメラを搭載

目的
販売サイトで多くの訪問者に驚きを与えること

回答サンプル
・驚きの逸品!どんなシミも落とせる最高のシミ抜き剤は百均にあった!
・怒りの鉄拳!予約が絶対にできない飲食店にはこんな理由があった!
・残念な高級店!最後の最後でどうしても許せない接客アレとコレ10選!

条件
・2文で40文字以内
・「!」を効果的に使う

A

1.「最新A9チップセット搭載!映画・ドラマが楽しい、Android 13タブレットで未体験の驚き!」
2.「10.9インチ高精細画面、最軽量クラス!驚異の解像度で、あなたの世界を一瞬で変える!」
3.「軽量&高性能!最新A9チップセット搭載、Android 13での使い心地に驚くこと間違いなし!」
4.「楽しさ倍増!Nantoka TVで映画・ドラマを簡単に楽しめ、驚きのエンターテイメント体験が待っています!」
5.「軽さの中にパワー!最軽量クラスのタブレットで、驚きのパフォーマンスを体験しよう!」

第2章

仕事の文章をChatGPTで書く

顧客からのクレームへの謝罪方法を調べる

顧客から思いがけないクレームが入ると、慌てるばかりでなかなか適切な謝罪方法が浮かばないものです。そんなときは、ChatGPTに謝罪のテクニックを提案してもらいましょう。プロンプトでは、ChatGPTに「最高のカスタマーサポート」としての役割を与え、謝罪する際のポイントを詳しく解説してくれるように質問します。

プロンプト

Q あなたは最高のカスタマーサポートです。顧客からのクレームに対して、適切に謝罪する方法を5つ列挙し、ポイントを詳しく教えてください。

ポイント ポイントの要求も併せて行う

A もちろんです。顧客からのクレームに対して適切に謝罪する方法を以下に5つ挙げてみましょう。謝罪のポイントも詳しく説明します。

1. 感情を共感する:
顧客がクレームを伝える際、その背後には不満や不快な経験があることが多いです。まずは顧客の気持ちに共感し、その感情に対する理解を示しましょう。例えば、「お客様がお気持ちをお察しいたします」というフレーズを使って、顧客の感情に共感を表現します。

2. 謝罪の言葉を使う:
クレームに対する返答で、「申し訳ございません」「お詫び申し上げます」といった謝罪の言葉を使いましょう。これにより、顧客に対して問題を認識していることを示し、真摯な態度を伝えることができます。

3. 具体的な問題を指摘:
顧客からのクレームについて、具体的な問題点を把握していることを示すことが大切です。顧客の話を要約し、誤解がないか確認しながら、具体的な事象や状況に言及しましょう。これにより、顧客が提起した問題について正確に把握していることを示します。

（後略）

COLUMN

個別のクレームに対して返信の文章を作成したい場合は、「以下のクレームへの返信の文面を作成してください」のように指示し、クレーム内容を貼り付けます。

製品に関する質問への返信を作成する

顧客から日常的に寄せられるのが、製品やサービスの使い方などに関する疑問や質問です。このような場合は、顧客からの質問をプロンプトに記述し、具体的な返信の文面を作成してもらうように指示します。数パターンをまとめて作成してもらい、使えそうなものをピックアップして適宜カスタマイズするといいでしょう。

プロンプト

Q あなたは最高のカスタマーサポートです。顧客から、製品に関する以下のような質問が寄せられました。この質問に対する返信の文面を3パターン作成してください。

・ハンマードリルを買い替えたいのですが、どうすればいいですか?

ポイント 顧客の質問内容を下に貼り付ける

A 返信パターン1:

お問い合わせいただき、ありがとうございます。ハンマードリルの買い替えに関しましては、以下のステップをご参考にしていただければと思います。

1. ご自身の使用目的を明確にすることが大切です。ハンマードリルは、DIYプロジェクトやプロの作業など、さまざまな目的に使用されますので、どのような作業に使用するのかを考えてみてください。

2. 予算を決めることも重要です。ハンマードリルの価格帯は幅広く、機能や性能によって異なりますので、予算を設定しておくと選択肢が絞りやすくなります。

3. インターネットで製品の比較やレビューを調査することをおすすめします。他のユーザーの意見や評価を参考にすることで、自分に合ったモデルを見つけやすくなります。

4. ホームセンターや専門店で実際に手に取って試してみることも大切です。重さや操作性など、実際の感触を確認することで、満足度が高まるかと思います。

5. 必要な機能やアクセサリーを考慮して選びましょう。例えば、異なるタイプのビットやアタッチメントが必要な場合は、その点もチェックしておくと良いでしょう。

ご自身のニーズに合ったハンマードリルを選ぶために、上記のステップをぜひご参考にしていただければ幸いです。 (後略)

配送関連の質問への回答方法を調べる

顧客から遅配などの配送への問い合わせが来た場合は、小手先の対応ではかえって信頼を失う結果になりかねません。プロンプトでは、顧客対応のステップが明らかになるように指示するのがポイントです。こうすることでサポート全体の流れを確認でき、きめ細かいフォローが可能になります。

プロンプト

Q あなたは最高のカスタマーサポートです。顧客から商品の配送に関する問い合わせが寄せられました。適切に回答するには、どのような方法が考えられるか提案してください。

ポイント 回答に対して、適切であるという条件を付けている

A 商品の配送に関する問い合わせに適切に対応するためには、以下の方法を提案します:

1. 速やかな対応: 顧客からの問い合わせには迅速に対応しましょう。適切な情報を迅速に提供することは、顧客満足度を高める重要な要素です。

2. 顧客情報の確認: 顧客の氏名や注文番号などの情報を確認しましょう。これにより、顧客により適切な情報を提供できます。

3. 配送ステータスの確認: システム内で顧客の注文の配送ステータスを確認し、具体的な情報を提供しましょう。配送の現在地や予想される到着日などの詳細が含まれることが一般的です。

4. 配送遅延に関する説明: 配送に遅延が発生している場合、その理由を説明しましょう。天候、交通状況、倉庫の問題など、遅延の原因を明確に伝えることが大切です。

5. 解決策の提案: 遅延が問題となる場合、顧客に対して代替の配送オプションや返金、補償などの解決策を提案しましょう。顧客が納得できる解決策を見つけることが大切です。

6. 丁寧な言葉遣い: 顧客に対して常に丁寧な言葉遣いを心がけましょう。顧客の不安や不満を和らげるために、礼儀正しいコミュニケーションが重要です。

（後略）

ネガティブなレビューに丁重な返信を作成する

プロンプト

Q あなたは最高のカスタマーサポートです。顧客から、以下のようなネガティブな内容のレビューが投稿されました。これに対する返信の文面を、丁重で納得できるような内容で作成してください。
・不味い!高い!接客も最低!二度と行かない!

A お客様、
まず初めに、私たちのサービスに対して不快な経験をお持ちいただき、誠に申し訳ございません。お客様のご意見に真摯に耳を傾け、改善の機会を設けるために、貴重なフィードバックをいただき、心より感謝申し上げます。
（後略）

注目点
このあと、丁寧な謝罪文が続く

ここがポイント

ネガティブなレビューへの対応は、担当者のメンタルへの負担が大きくなりがちです。そんなときは、プロンプトにレビューの文章を丸ごと入力すればOKです。あとは、プロンプトで丁重な内容で返信の文面を生成するように指示するだけです。

文章を説得力のある内容に修正する

プロンプト

Q あなたは最高の記者です。以下のテキストに圧倒的な説得力を加え、読者の心に深く訴えかけるように修正してください。

ポイント
優れた回答を得るためにプロンプトにも工夫する

読んでくれてありがとう。うちの会社は客に最高の製品とサービスを提供しようと頑張っている。客のニーズをしっかり把握して、ソリューションを提供するよ。

ポイント
元の文章はこのくらい簡単なものでよい

ここがポイント

ビジネスシーンの文章で感謝の気持ちを伝えたり、ビジネス上の行動を強く促したい場合などは、相手の心を動かす文章が必要になります。プロンプトでは、「圧倒的な説得力」や「心を動かす」などの明確なトーンの指示を与えるのがポイントです。

起業する際の事業計画を作成する

起業する際は、事業計画を立てる必要がありますが、最初から綿密な計画を立案するのは難しいでしょう。そんなときは、ざっくりとした内容をChatGPTに生成してもらいましょう。プロンプトでは、大まかな事業内容や目標、必要な内容などを記述します。これだけで事業計画のプロトタイプができ上がります。

プロンプト

Q あなたは最高の経営コンサルタントです。A社の事業計画を作成してください。この会社は、画期的な掃除機を主婦層に販売し、株式の上場を達成したいと考えています。事業概要、経費や売上、収益予想、ビジョンや理念など公的な役割も含めてください。

ポイント 商品と購買層と目標を明記した

A もちろん、A社の事業計画の概要を作成し、主要な要素を含めてみましょう。以下は、A社の事業計画の基本的な要素です。

A社の事業計画

事業概要:
A社は、画期的な掃除機を製造し、主婦層をターゲットに販売する会社です。私たちの掃除機は高性能で、環境にやさしく、使いやすいものです。主要な特徴には、ハイテクノロジーのクリーニング能力、省エネ設計、ユーザーフレンドリーな操作が含まれています。

ビジョンと理念:
私たちのビジョンは、日本全体の家庭で、効率的かつ持続可能な掃除方法を提供し、主婦層の生活品質を向上させることです。私たちの理念は、品質、革新、環境への配慮に基づき、お客様に最高の価値を提供することです。

販売戦略:
・主要なターゲット市場: 主婦層を中心に、家庭向けの掃除機市場に焦点を当てます。
・製品価格: 20,000円から30,000円の価格帯で提供し、競合との比較優位性を持ちます。

注目点 具体的な数字まで提示された

（後略）

必要要素を確認しながら文章を作成する

セールスレターやプレスリリースなどの作成は、ChatGPTに指示するとしても、どのような要素を含めればいいのか戸惑うこともあります。そんなときは、最初のプロンプトで必要な要素をリストアップしてもらい、随時逆質問してもらいながら生成させるのがポイントです。必要に応じてプロンプトを重ねながら、ブラッシュアップしましょう。

プロンプト

Q あなたは最高のセールスライターです。商品を宣伝し、読者の購買意欲を強くそそるセールスレターを作成しようと思います。必要な条件があれば、私に質問しながら最高のセールスレターを書くようにしてください。

ポイント どんなセールスレターが欲しいかを明記した

A もちろん、最高のセールスレターを作成するお手伝いをさせていただきます。セールスレターを効果的に作成するために、まず以下の情報が必要です:

1. 製品またはサービスの詳細: 貴社の商品やサービスについてできるだけ多くの情報を提供してください。製品の特長、利点、仕様、価格などについての情報が重要です。

2. ターゲットオーディエンス: 製品を誰に売りたいのかを教えてください。ターゲットオーディエンスの年齢、性別、興味関心などの情報が役立ちます。

3. 唯一の提案(ユニークセリングプロポジション): なぜこの製品が他の競合製品よりも優れているのか、その一点を明確にしましょう。

4. 制限付きオファーや割引情報: 特別なセール、割引、ボーナスアイテムなどの特典を提供する場合、その詳細を教えてください。

5. 顧客の痛みポイント: 製品が解決できる顧客の問題や痛みポイントについて説明してください。

(後略)

COLUMN

時短の観点からは、1回のプロンプトで作業を済ませるのがベストですが、途中で確認や逆質問してもらいながら進める方法は、内容の質をブラッシュアップできるメリットがあります。

プレゼンの内訳や時間配分を提案してもらう

ビジネスシーンではプレゼンの機会も頻繁にあるでしょう。時間配分をしたいときは、プロンプトにプレゼンのテーマと所要時間を含めて記述するのがポイントです。ただし、時間の配分はあくまでも目安なので、若干の誤差が生じる場合があります。でき上がった構成の内訳を確認し、自分で時間を調整するようにしましょう。

プロンプト

Q あなたは最高のセミナー講師です。「職場でのハラスメント対策」というテーマでビジネスセミナーを開催します。所要時間40分のプレゼンで使うスライドの詳細な内訳と時間配分を提案してください。

ポイント プレゼンのボリュームを決め、スライドの量に制限をかける

A 「職場でのハラスメント対策」をテーマにしたビジネスセミナーのプレゼンテーション用スライドの詳細な内訳と時間配分を提案します。所要時間が40分ということで、以下に示すようにスライドを分けてみてください。

スライド1: タイトル(2分)
・タイトル: 「職場でのハラスメント対策」
・自己紹介とセミナーの目的の説明

注目点 スライドタイトルと内容が提示される

スライド2: アジェンダ(2分)
・セミナーのアジェンダを示し、セッションの流れを説明

スライド3: ハラスメントの定義と種類(5分)
・ハラスメントの定義
・主なハラスメントの種類(性的、人種、性別など)
・実例を挙げて説明

スライド4: ハラスメントの影響(5分)
・ハラスメントが職場に及ぼす影響
・従業員への影響
・組織への影響

スライド5: 法的規制(5分)
・職場でのハラスメントに関する法的規制
・法律遵守の重要性

(後略)

一問一答で面接のトレーニングをする

就職や転職活動で面接を苦手とする人は多いでしょう。そこで便利なのが、ChatGPTに面接官として模擬面接を行ってもらう方法です。この場合のプロンプトでは、希望する業種の人事担当者としての役割を与えるのがポイントです。また、臨場感のある模擬面接となるように、一問一答形式で展開するように指示します。

プロンプト

Q あなたは厳しい目を持つ食品メーカーの人事担当者です。
応募者の私に対して1問ずつ面接の質問をしてください。
私の回答を確認し、問題点があれば指摘してください。

ポイント
どのように質問してくるかを指定する

A もちろん、面接の質問を進めていきましょう。まず最初の質問です:

1. 食品業界において、どのような経験やスキルを持っていますか?

Q 私は菓子メーカーで、営業職として5年間勤務していました。

A ありがとうございます。営業職での5年間の経験は貴重ですね。次の質問です:

2. 食品業界において、特にどのような成果やプロジェクトに関与しましたか?何か特筆すべき成功体験がありますか?

Q 新規の大口取引先の獲得に成功したことです。また、海外企業との折衝も多くこなしました。

A 素晴らしい成果ですね。新規大口取引先の獲得と国際的な折衝経験は、私たちの食品メーカーにとって非常に価値のあるスキルとなります。次の質問です:

3. 食品業界は競争が激しい分野です。 (後略)

COLUMN

プロンプトの末尾に「面接の雰囲気は応募者を強く威圧するようにお願いします」と加えると、威圧的な質問や反応が入り、圧迫面接の対策などに最適です。

SNSで商品を宣伝するための投稿を作成する

自社商品の認知度を上げるには、SNSでの宣伝が欠かせません。ChatGPTを使えば、ハッシュタグや絵文字を効果的に使った投稿文を簡単に生成できます。プロンプトには、商品の特徴を必ず含め、投稿先のSNSの種類も記述するのがポイントです。また、特徴と一緒に商品のURLもプロンプトに含めると、投稿文にURLを挿入できます。

プロンプト

Q あなたは最高のコピーライターです。以下の特徴を持つ究極の炊飯器をTwitterで宣伝するための投稿文を5つ提案してください。
・ふっくらもちもちに炊きあがる
・商品リンク　https://www.example.com

A もちもち食感と最高の炊飯体験を手に入れませんか?「究極の炊飯器」は、あなたの料理を次のレベルに引き上げます! 🍚✨ 詳細はこちら: https://www.example.com #炊飯器 #美味しいごはん

注目点
X(旧:Twitter)向けに絵文字とハッシュタグが含められる

食卓の主役は「究極の炊飯器」!もうサクッとしないごはんにおさらばです。最高のごはんを楽しむならこれ!👸🍚 詳細はこちら: https://www.example.com #こだわりごはん

毎日のごはんがもちもちの絶品に!「究極の炊飯器」でお米が生き返ります。炊き上げの美味しさに感動間違いなし!😋🍚 詳細はこちら: https://www.example.com #ごはん愛

「究極の炊飯器」があれば、ごはん作りが楽しみに変わります!炊き上がりのふっくら感は絶品です。お得な情報はこちらから: https://www.example.com #ごはん好き

もう一度ごはんを愛し始めませんか?「究極の炊飯器」がお手伝いします!簡単操作でおいしいごはんが食べられます。

（後略）

COLUMN

ChatGPTは2021年9月までの情報をもとにしています。上記のプロンプトのようにSNSの名前を指定する際は、X(旧Twitter)は「Twitter」と記述するようにしましょう。

SNS告知用のキャッチフレーズを作成する

プロンプト

Q あなたは最高のコピーライターです。Twitterを使ってストレス解消に関する情報発信をしたいと思います。この投稿に適した圧倒的に訴求力のあるキャッチフレーズを10個提案してください。

A 1. "ストレスから解放される魔法の方法をシェアします✨ #ストレス解消 #幸せな日々"

2. "毎日が笑顔の秘訣を公開中!一緒にストレスを吹き飛ばしましょう😄 #ストレスフリー"

3. "心地よいリラックス感を追求し、ストレスを撃退! 💆‍♀️💆‍♂️ #リラックス #ストレス解消"

（後略）

注目点 絵文字やハッシュタグが含まれている

ここがポイント

SNSの投稿をじっくり読ませたり、リンク先に誘導したりするためには、魅力的なキャッチフレーズが必要です。この場合のプロンプトは、テーマの内容や、投稿先のSNS名を含めます。シンプルな指示でも、効果的なキャッチフレーズを生成できます。

インスタのハッシュタグ戦略を提案してもらう

プロンプト

Q あなたは最高のSNSディレクターです。インスタグラムで睡眠の質の向上に関する投稿をします。フォロワーから良好な反応を得るための効果的なハッシュタグ戦略を提案してください。

ポイント 目的を明確にするとよい

A
1. #健康な睡眠
2. #質の高い睡眠
3. #睡眠改善
4. #快眠
5. #リラックス
6. #ストレス解消
7. #睡眠習慣

（後略）

ここがポイント

インスタグラムは、ハッシュタグで検索するユーザーが多いため、より緻密なハッシュタグ戦略が求められます。効果的なハッシュタグを生成するには、プロンプトで投稿のテーマをはっきりと記述し、何を意図した投稿なのかも明らかにします。

話題に関するXのスレッドを作成する

X(旧Twitter)のスレッド機能は、1人のユーザーの複数のポストをつなげて、話の流れをわかりやすくまとめることができるので、無料アカウントで長文を投稿するためによく利用されています。スレッド用の投稿を生成するには、プロンプトで業界やテーマなどを記述し、「魅力的な」といった投稿の意図を示す文言を加えるのがポイントです。

プロンプト

Q あなたは最高のSNSディレクターです。介護業界の待遇改善に関して魅力的で多くのユーザーを引きつけるTwitterスレッドを作成してください。

A もちろん、介護業界の待遇改善に関する魅力的なTwitterスレッドを作成します。このスレッドでは、待遇改善に向けたアイデアや提案、関連情報を共有し、多くのユーザーの関心を引きつけることを目指します。

タイトル: #介護業界の未来を明るく

> **注目点**
> スレッドにタイトルを付けることはできないので、全ポスト共通のハッシュタグとしてもよい

スレッド本文:

1/ 介護業界は私たちの社会に欠かせない存在ですが、その待遇改善が急務となっています。このスレッドでは、介護職員とその支援者のために、より良い未来を築くためのアイデアを共有します。

2/ まず、介護職員の給与改善が必要です。彼らは日々、高度なスキルと情熱を持って働いています。その報酬はその価値に見合ったものであるべきです。 #給与改善

3/ また、介護職員の研修とスキル向上への投資も不可欠です。最新の医療技術やケアのベストプラクティスにアクセスできるようにすることで、高品質な介護を提供できます。 #スキル向上

4/ 介護業界は、働く環境の改善も求めています。職場の安全性と労働条件の改善は、職員のモチベーション向上につながります。 #労働条件改善

5/ 同時に、介護サービスの利用者とその家族の声を尊重し、コミュニケーションを強化することが大切です。ユーザーセンタードなアプローチを促進しましょう。 #ユーザーセンタード

(後略)

Xのプロフィールやヘッダーのコツを調べる

X(旧Twitter)で多くのフォロワーを獲得するには、ポストだけでなく、プロフィール写真やヘッダー画像も魅力的にする必要があります。プロンプトでは、インフルエンサーとしての役割を与えるのはもちろんですが、ほかのユーザーに実践されている具体的なテクニックについて質問すると、より多くのヒントを得られます。

プロンプト

Q あなたは最高のSNSインフルエンサーです。Twitterのプロフィール写真やヘッダー画像を効果的に設定する方法を提案してください。また、多くのインフルエンサーがやっている具体的なテクニックも併せて紹介してください。

A SNSインフルエンサーとして成功するために、Twitterのプロフィール写真とヘッダー画像は非常に重要です。以下は、効果的なプロフィール設定の方法と多くのインフルエンサーが使っているテクニックです。

プロフィール写真:
1. プロフィール写真の選択: 自分の顔を含む明瞭な写真を選びましょう。笑顔があると親しみやすく、フォロワーとのつながりを強化します。

2. プロフィール写真の品質: 高解像度の写真を使用し、ぼやけたり荒れた写真を避けます。写真の背景がシンプルで、あなたが主役として際立つようにしましょう。

3. ブランディングと一貫性: 他のSNSプラットフォームやウェブサイトと一貫したブランディングを持ちましょう。同じプロフィール写真を使用するか、似たデザインや色調を使用して一貫性を保ちます。

ヘッダー画像:
1. ヘッダー画像のテーマ: ヘッダー画像はあなたのプロフィールのトップバナーとして表示され、あなた自身やあなたのブランドのテーマを反映することが大切です。例えば、旅行インフルエンサーなら美しい風景写真、料理インフルエンサーなら美味しそうな料理写真を使用します。

(後略)

COLUMN

最近のX(旧Twitter)は、仕様変更が相次いでいます。最新の機能についてたずねる場合は、「Bing AI」など情報検索に対応した対話型AIを利用しましょう。

TikTokビデオのアイデアを提案してもらう

短尺動画SNSのTikTokは、際立った拡散力が特徴。バズったことをきっかけに、さまざまな商品やサービスが爆発的に売れています。プロンプトでは、商品の特徴などを細かく指定すると、かえって動画のアイデアが限定されてしまいます。商品名や種類だけをシンプルに記述したほうが、インパクトのあるアイデアが出てきます。

プロンプト

Q あなたは最高のTikTokインフルエンサーです。チョコレートケーキをTikTokユーザーに紹介したいと思っています。視聴者が思わず購入したくなるようなインパクトにあふれたTikTokビデオのアイデアを5つ提案してください。

ポイント
どのような
TikTokビデオ
なのかを説明

A チョコレートケーキをTikTokユーザーに紹介するためのインパクトのあるビデオアイデアを5つ提案します。これらのアイデアは視聴者が購入したくなるような魅力的なコンテンツを作成するのに役立つかと思います。

1. チョコレートアートのマジック
チョコレートケーキの表面に美しい模様やアートを描くプロセスを追いかけるビデオを制作します。熟練したチョコレートアーティストがケーキをどんどん美しく変身させる様子をキャッチし、最終的に仕上げたケーキを美しくカメラに映します。

2. チョコレートケーキの秘密の材料
視聴者に、特別な材料や調理法を使用して、チョコレートケーキの秘密の美味しさを紹介します。材料の選択、調理のテクニック、その他の料理のヒントを共有し、視聴者が自宅で同じようなケーキを作りたくなるようにします。

3. チョコレートケーキの歴史と文化
チョコレートケーキの歴史や異なる文化でのその重要性に焦点を当てたビデオを制作します。例えば、チョコレートケーキが特定の祝祭日や特別な機会でどのように食べられているかを説明し、視聴者に興味を持たせます。

4. チョコレートケーキのアレンジメント
チョコレートケーキのアレンジメントにフォーカスし、異なるトッピングやデザインアイデアを提案します。視聴者に、自分のケーキをカスタマイズするアイデアを提供し、独自のケーキを作るアイデアを提供します。 （後略）

Xでフォロワーを見つける方法を調べる

プロンプト

Q あなたは最高のSNSインフルエンサーです。Twitterで主婦層のフォロワーを大量に見つけたいと思っています。目的に見合ったフォロワーを効率的に見つける具体的な方法をアドバイスしてください。

A 1. プロフィールの最適化:
・プロフィール写真やバイオを魅力的に設定し、主婦層が興味を持ちそうな要素を強調しましょう。

2. ハッシュタグを活用:
・主婦がよく使うハッシュタグを調査し、それらを利用して投稿をターゲットに合わせましょう。　(後略)

ここがポイント

企業が告知などのためにX(旧Twitter)を利用する場合、拡散力の向上が課題となります。そのためには、自社がターゲットとするユーザーにフォロワーになってもらうことが重要です。プロンプトには、はっきりとしたターゲット層の種類を含めるようにし、具体的な方法を提案するように指示します。

Xでユーザーとの関係を深める方法を調べる

プロンプト

Q あなたは最高のSNSインフルエンサーです。Twitterでリプライやコメント機能をうまく利用してほかのユーザーとコミュニケーションを深める方法を教えてください。

A Twitterでリプライやコメント機能をうまく活用して他のユーザーとコミュニケーションを深めるための方法をいくつか紹介します。これらの方法を実践することで、あなたのフォロワーとの関係を強化し、影響力を高めることができます。

1. ポジティブで有益なコメントを投稿する:
・ポジティブで建設的なコメントを投稿し、他のユーザーの投稿に対して感謝の気持ちを示しましょう。(後略)

ここがポイント

X(旧Twitter)では、ほかのユーザーとのコミュニケーションをおろそかにしてしまうと、フォロワーの減少につながりかねません。コミュニケーションの深化を目的とする場合は、インフルエンサーとしての役割に加えて、フォロワー獲得のために使う機能を記述して質問をしましょう。

YouTube動画のポイントを指摘してもらう

魅力的なYouTube動画を制作するには台本が必須ですが、やみくもに作ってもなかなかよい台本には仕上がりません。台本に入れるべき要素や意識するべき一般的なポイントをChatGPTに生成してもらうには、プロンプトにあえて細かい条件を付けないようにします。逆に、商品の特徴を活かした構成にしたい場合は、細かい情報をプロンプトに含めます。

プロンプト

Q 掃除機の商品レビューに関するYouTube動画の台本を作成しようと考えています。台本を作成するうえで、視聴者を強く引きつけるための3つのポイントを解説してください。

A YouTube動画の台本を作成する際、視聴者を強くひきつけるために以下の3つのポイントを考慮することが重要です。

1. 視聴者の関心を引くオープニング:
・動画の冒頭で、視聴者の関心を引く要素を取り入れましょう。例えば、掃除機の商品レビューの場合、驚くような掃除機の機能や性能をハイライトすることで視聴者の興味を引くことができます。また、興味を引くエピソードや問題を紹介することも効果的です。視聴者が最初から興味を持っていると、動画を最後まで見る可能性が高まります。

2. クリアで魅力的なコンテンツ構成:
・台本を作成する際に、情報を整理し、分かりやすく伝えることが大切です。視聴者はわかりやすい説明や視覚的な要素(写真やグラフなど)を求めることが多いです。掃除機の商品レビューの場合、以下の要素を含むと良いでしょう:
 ・商品の特長と利点の詳細説明
 ・実際の掃除シーンのデモンストレーション
 ・使用者の実体験や感想
 ・価格や保証についての情報 (後略)

注目点
一般的な商品レビュー動画の構成が提案された

COLUMN

このプロンプトでは、「視聴者を強く引きつける」ことを意識していますが、必要に応じて「インパクトのある」「斬新な」などの文言を含めるといいでしょう。

YouTubeゆっくり動画の台本を作成する

YouTube動画には、2人の人物のかけ合いで進行していく「ゆっくり動画」というスタイルがあります。この台本を自力で作成するのは大変ですが、ChatGPTを使えば、比較的簡単に作成できます。プロンプトには、登場人物の属性を含めることを意識し、あとは台本の素材となる情報ソースを貼り付ければOKです。

プロンプト

Q 「秋の実食博覧会のご案内」というテーマで、以下の内容でYouTube動画の台本を作成してください。
・登場人物は「霊夢」と「魔理沙」という2人の女性
・霊夢は聞き役、魔理沙は説明役
・魔理沙は語尾に「だぜ」や「そうなんだぜ」を付ける
・時間は5分

（文章などの情報ソースを貼り付け）

ポイント
二人の役割分担を明記するとよい

A 【オープニングシーン】

[カメラが美しい秋の風景を捉え、落ち葉が風に舞う様子を映します]

霊夢:（微笑みながら）皆さん、こんにちは。秋の風景が美しい季節になりましたね。
魔理沙: そうなんだぜ!秋は最高だぜ!（元気に笑顔で）
霊夢: そうですね、魔理沙。そして、秋は食欲の季節でもあります。今回は、秋の美味しい食べ物についてお話ししようと思います。

【博覧会の紹介】

魔理沙: それでは、秋の実食博覧会をご紹介しようだぜ! この博覧会では、なんと30社もの有名な食品メーカーが一堂に集まって、最新の美味しい商品を紹介するんだぜ!
霊夢: そうです、この博覧会は食品愛好家にとって夢のような場所です。新しい味を探求するチャンスなんです。
魔理沙: そうなんだぜ!そして、最高のポイントは、開発者と直接会えることだぜ。彼らから新商品についての情報を聞けるんだぜ。

（後略）

注目点
文体の指示を行うと、変な日本語になることがある

業界の将来に関わる技術をリサーチする

ビジネスの世界では、新技術の登場などによって業界を取り巻く状況が一変します。5年から10年など、近い将来の展望を生成AIにたずねてみるのも1つの手です。ただし、利用するのはChatGPTではなく、情報検索に対応した「Bing AI」のほうが適しています。プロンプトには、業界の種類や近未来の期間も記述するのがポイントです。

プロンプト

Q あなたは優秀な経済紙の記者です。これから10年以内に小売業界に革命をもたらしそうな技術や思想を教えてください。

A こんにちは、私はBingです。小売業界に関する情報をお探しですね。😊

注目点
ここではBing AIに聞いているが、ChatGPTに聞くと一般的な情報がわかる

小売業界は、デジタル化やテクノロジーの進歩によって、今後10年以内に大きな変化を迎えると予想されています。

例えば、以下のようなトレンドが挙げられます。

・無人化: 商品補充以外はほぼ無人化が実現し、顔認証やバイオメトリクスなどで手ぶらで決済できるようになる。

・カスタマイズ化: 3D印刷やAIなどを活用して、消費者のニーズに合わせた製品やサービスを提供する。

・オンデマンド化: ネットを使った産直ビジネスやサブスクリプションなど、小売とメーカーの境目が曖昧になり、消費者が必要なときに必要なものを手に入れられるようになる。

これらのトレンドは、小売業者にとっては俊敏性と革新性を求められる一方、消費者にとっては便利でお得でパーソナライズされた買い物体験を提供する可能性があります。

（後略）

COLUMN

Bing AIを利用する際は、会話スタイルを「よりバランスよく」「より厳密に」「より創造的に」の3種類から選べます。質問の内容などに応じて、使い分けましょう。

現在注目すべきイノベーションを探る

ビジネスシーンでは、画期的なイノベーションやビジネスモデルをいち早く導入することが課題になります。これらをリサーチするには、情報検索に対応したBing AIを使います。プロンプトでは、経済記者としての役割を与え、リサーチ対象にする業界の種類、知りたい情報の種類を含めて記述しましょう。

プロンプト

Q あなたは優秀な経済紙の記者です。食品業界で急成長しているイノベーションやビジネスモデルを5つ挙げて、詳しく解説してください。

ポイント 業界とテーマを指定する

A こんにちは、Bingです。食品業界で急成長しているイノベーションやビジネスモデルについて、以下の5つの事例を紹介します。

注目点 かなり専門的な情報が得られる

・サステナビリティ: 消費者のサステナビリティへの意識の高まりに応えるため、食品メーカーは環境や社会に配慮した製品やサービスを提供することで、ビジネスチャンスを広げています。例えば、ダノンは植物由来の原料を使った乳製品や飲料を開発し、環境負荷の低減や健康増進に貢献しています。

・ローカルフード: 地域の農林水産物を活用した加工食品の開発や販売は、地域経済の活性化や食品ロスの削減につながります。例えば、農林水産省は「ローカルフードイノベーション事業」として、地域に新たなビジネスモデルを生み出す取り組みを支援しています。

・オープンイノベーション: 外部との協業によって、新たな技術やアイデアを取り入れることで、食品業界はイノベーションのスピードや質を高めています。例えば、ハウス食品は「Open with Linkers」というオープンイノベーションプラットフォームを通じて、新規事業開発に挑戦しています。

・デジタル化: AIやIoTなどのデジタル技術を活用することで、食品業界は生産性向上やコスト削減、付加価値向上などの効果を得られます。例えば、農林水産省は「食品製造イノベーション推進事業」として、デジタル化による生産現場の効率化や自動化を支援しています。

・カスタマイズ: 消費者のニーズや嗜好に合わせたカスタマイズされた製品やサービスは、食品業界においても需要が高まっています。 (後略)

BtoB向けサービスのアイデアを考えてもらう

業界の枠を超えてほかの企業と取引したい場合、どんなサービスを提供できるか、なかなかアイデアは浮かびません。その点、ChatGPTならまったく違った観点からアイデアを提案してくれます。プロンプトには、「革新的」や「画期的な視点で」などの文言を加えると、よりユニークなアイデアを考えてくれます。

プロンプト

Q あなたは最高の経営コンサルタントです。外食産業の企業が医療市場に向けて提供できる革新的なサービスを10個提案してください。

ポイント
「革新的な」で回答を限定する

A 外食産業が医療市場に向けて提供できる革新的なサービスを10個提案します。これらの提案は、外食産業と医療市場のニーズを結びつけ、健康促進と利便性の向上に貢献するものです。

1. カスタマイズされた栄養食事配達:
患者や健康管理の必要な人々の栄養ニーズに合わせて、カスタマイズされた栄養食事を提供し、栄養療法をサポートします。

2. 糖尿病管理のための糖質制限メニュー:
糖尿病患者向けに、糖質を制限したメニューアイテムを提供し、血糖値の管理を助けます。

3. アレルギー対応食品:
アレルギー患者向けにアレルギー情報が提供されたメニューアイテムを提供し、安全な食事体験を提供します。

4. メンタルヘルス向けの食事プログラム:
メンタルヘルスをサポートするために、ストレス軽減や集中力向上に効果的な食事プランを提供します。

5. 高齢者向けの栄養食事プラン:
高齢者向けに栄養価の高いメニューアイテムを提供し、健康的な老後をサポートします。

6. 薬物との相互作用情報提供:

（後略）

感情を表すタイトルを作成する

広告などに使う文章では、感情やイメージなどをタイトルとして表現したい場合もあります。タイトルのような短い文字数で何かを表現するのは、かなりセンスが要求されますが、ChatGPTならサクッとタイトルを作成してくれます。プロンプトには、表現したい感情の種類を具体的に記述し、参考程度に文字数も指定します。

プロンプト

Q あなたは最高のコピーライターです。猛烈な怒りを表現するきわめてユニークな10文字のタイトルを20個作成してください。

ポイント 文字数指定は参考程度

A もちろん、お手伝いします。怒りを表現するユニークな10文字のタイトルを以下に示します:

1. "怒りの嵐"
2. "狂気の炎"
3. "怒りの波"
4. "憤怒の祭り"
5. "怒りの追求"
6. "激情の嵐"
7. "怒りの深淵"
8. "猛烈な怒り"
9. "雷鳴の怒り"
10. "憤慨の舞台"
11. "烈火の怒り"
12. "怒りの宣戦"
13. "狂気の爆発"
14. "怒りの潮流"
15. "猛獣の怒り"
16. "怒りの断罪"
17. "憤怒の瞬間"
18. "怒りの狂宴"

（後略）

COLUMN

ChatGPTが指定した文字数を守ることは、ほぼありません。目安程度に指定して、「もっと長く」「もっと短く」と追加で指示を与えます。

自分の文章の長所と短所を確認する

自分の書いた文章の特徴をチェックしたいときは、なかなか第三者に見せるのが難しいケースもあります。ChatGPTに文章の分析を行わせる場合は、プロンプトで分析の手法を指示し、あわせて改善点も解説してくれるように質問します。なお、守秘義務のある文章はChatGPTに入力してはいけない場合があるので、注意します。また、指摘が正しいとは限りません。

プロンプト

Q あなたは最高の記者です。私が書いた以下の文章を分析し、執筆スタイルの長所と短所を挙げてください。また、具体的な改善点も提案してください。

鍋料理はシンプルでありながら多彩な美味しさを提供します。具材を鍋に入れ、お好みのスープやダシで煮込むだけで、一気に香り高い料理が完成します。しゃぶしゃぶ、すき焼き、ホットポット、フォンデュ、カレー鍋など、国や地域によってさまざまなバリエーションが存在し、自分の好みに合わせて楽しむことができます。これは、鍋料理が個性を引き立て、食卓に幅広い選択肢を提供してくれる理由の一つです。

A ありがとうございます!以下は、文章の長所と短所、および改善点の提案です。

長所:
1. 記事のテーマへの理解: あなたは鍋料理の魅力について良く理解しており、その多様性や個性について魅力的に表現しています。
2. 言葉選び: シンプルで分かりやすく、読者が内容を理解しやすいです。
3. 具体例の提供: さまざまな鍋料理の具体例を挙げており、読者にイメージしやすくしています。

短所:
1. 表現の一貫性: 文章の中で、"鍋料理"と"鍋"という言葉が混在しています。一貫性のある言葉選びが必要です。
2. 文章構造の改善: 文章全体の構造がやや乱れており、段落の配置や論理的な流れを整えることが必要です。
3. 詳細な説明: 鍋料理の魅力をさらに引き立てるために、なぜ鍋料理が個性を引き立て、幅広い選択肢を提供しているのかについても詳細な説明が必要です。

注目点
この指摘は正しくない

（後略）

上手に文章を書くための方法をタスク化する

プロンプト

Q あなたは最高のライターです。上手に文章を書くためのステップをタスク化してください。

A 文章を上手に書くためのステップをタスク化します。以下は文章作成のプロセスを効果的に進めるためのステップです:

1. テーマの選定:
   ・何について書くかを明確に決めましょう。テーマは具体的で興味を引くものであるべきです。
2. 調査と情報収集:
   ・選んだテーマに関する情報を集めましょう。

（後略）

ここがポイント

文章を書くのが苦手な人には、具体的な手順を示すことで、文章が書きやすくなります。このプロンプトでは、手順をタスクとして生成するように指示しているのがポイントです。ひとつひとつのステップが見える化されるので、スムーズに文章を書くのに役立ちます。

気になる注意点を指摘してもらう

プロンプト

Q 社員のSNS利用に関する注意事項を連絡します。下記の内容に加えて、さらに注意点があれば指摘してください。
・写真を掲載する場合は著作権に注意
・過激な表現は避ける

A 1. 機密情報の保護: 社内の機密情報やプライバシーに関わる情報をSNSで共有しないでください。他の社員や顧客に悪影響を及ぼす可能性がある情報を投稿しないように心がけてください。
2. 他の社員や会社への配慮: 他の社員や会社に関連することを投稿する際には、彼らの意向やプライバシーに十分な配慮を払ってください。批判的な発言や会社への不適切なコメントを避けましょう。

（後略）

ここがポイント

このプロンプトの例では、SNSに関する注意について何か足りない点がないか質問しています。記述した項目に対してチェックしてもらい、そのうえで追加すべき注意点があれば指摘するように指示します。自分では気づきにくい点まで指摘してくれるので、非常に重宝する使い方です。

長文を読み込ませる

ChatGPTでは一度に入力できる文字数に制限がありますが、プロンプトを工夫することで、分割して長文を読み込ませることが可能になります。最後まで読み込ませたあとで指示を出せば、要約などの作業を行うことができます。読み込ませる際のプロンプトでは、最低限の返答のみをするように明確に指示しておくのがポイントです。

プロンプト

Q これから長い文章を入力していきますが、私が<終了>というまでは、<OK>という返答だけしてください。それ以外の返答は一切不要です。

ポイント 「OK」以外の回答を抑制する

A 了解しました。<OK>

Q AI（人工知能）は、現代のテクノロジーとコンピューティングの進歩において、驚異的な進歩を遂げた分野の1つです。AIは、人間の知識、学習、推論、問題解決能力を模倣するために設計されたコンピューターシステムやソフトウェアを指します。

A <OK>

Q （※やりとりを繰り返し、分割した文章をすべて入力）
<終了>
長文の入力が終わりました。要約を作成してください。

ポイント 最後に要約を指示する

A AI（人工知能）は、テクノロジーとコンピューティングの進歩により大きく発展し、1950年代からの歴史を持っています。（後略）

COLUMN

有料プランを使えば、「Advanced Data Analysis」を利用してテキストファイルをアップロードすることで、分割せずにダイレクトに長文の読み込みができます。

文章内の難解な用語を解説してもらう

プロンプト

Q あなたは最高の国語辞書です。以下の文章内にある難しい用語をピックアップしてわかりやすく解説してください。

我々は現代のテクノクラシーにおけるディスプロポーショナットな諸問題に関して真摯な議論を展開する必要があると信じており、そのためには深遠なる認知的なフレームワークと幅広い多元的な視座を駆使しなければならないと認識しています。たとえば、社会的なエクイティとポリティカルなレジティマシーの問題について、最適なアプローチを模索するために、異質な知識ベースを持つ専門家とステークホルダーが協働して、持続可能な解決策を醸成するべきです。

A 1. テクノクラシー(Technocracy): テクノクラシーは、政治や経済の意思決定を技術や専門知識に基づいて行うシステムまたは組織のことを指します。
(後略)

ここがポイント

専門的な領域の文章は独特の用語が頻繁に登場するため、意味がわかりにくいものです。そんなときは、ChatGPTに難しい用語を拾ってもらって意味を解説してもらうことができます。プロンプトでは、辞書や国語の専門家としての役割を指示するといいでしょう。

目標達成後のイメージをタイトルにする

プロンプト

Q あなたは最高のコピーライターです。売上1億円という目標を達成したあとのイメージを喚起させるようなタイトルを8個作成してください。

A 1. "1億円達成後の新たな夜明け: さらなる高みへの飛躍"
2. "成功の頂点: 1億円の売上を突破して" (後略)

ここがポイント

プロンプトの「売上1億円」は目標の例なので、必要に応じて書き換えてください。目標は売上金額など、具体的な記述を用いると、より効果的なタイトルが生成されます。

会議内容を発言者ごとにまとめる

会議の議事録を作成する場合は、録音音声を書き起こしたあと、それを整理してまとめる手間がかかります。そんなときは、ChatGPTに書き起こした文章を貼り付ければ、簡単に要点をまとめてくれます。プロンプトでは、ライターや編集者としての役割を与え、発言者ごとに簡潔にまとめることを強調しましょう。なお、文末の否定表現は見落とされる可能性が高くなります。

プロンプト

Q あなたは最高の編集者です。以下の会議内容を発言者ごとに簡潔にまとめてください。

ポイント
「簡潔に」と指示することで回答が短くなる

橋本社長: みなさん、お疲れ様です。今日の営業会議では、新しいプロジェクトについて話し合いたいと思います。このプロジェクトは当社にとって重要なものであり、成功させるためには全員の協力が必要です。大沢部長、まずはプロジェクトの概要からお願いします。

大沢部長: はい、橋本社長。このプロジェクトは市場での競争が激化している状況を受けて、新しい製品ラインを立ち上げることを目指しています。鈴木課長、具体的な提案をお願いします。

鈴木課長: 了解しました、大沢部長。提案として、新製品の特長とターゲット市場を定め、競合分析を行いました。また、営業チームを強化し、新しい顧客層にアプローチする計画も立てています。

橋本社長: 素晴らしい、鈴木課長。新しい市場への進出はチャンスですね。しかし、リスクもあると思います。大沢部長、リスク管理策についても話し合いましょう。

A 橋本社長: 新プロジェクトの重要性強調、全員の協力を要請。

大沢部長: 競争激化に対応し、新製品ライン立ち上げを目指すプロジェクト。鈴木課長への提案を依頼。

鈴木課長: 新製品特長、ターゲット市場、競合分析、営業チーム強化計画を提案。

注目点
発言の要旨だけがまとめられた

(後略)

第3章

ChatGPTで もっと仕事のアイデアを出す

セールの告知文を提案してもらう

セールなどのイベントでは、従業員はさまざまな準備で忙しいため、マーケティングの知識などが必要となる告知文の作成は負担になります。ChatGPTを使えば、マーケティングの専門知識がなくても、要点を押さえた告知文を簡単に生成してもらえます。

プロンプト

Q お盆セールを開催します。次の特徴をふまえ、顧客に強く訴えるセールの告知文を提案してください。
・コロナ禍明け、はじめてのセール開催
・従来対象にならなかった500アイテムがセール対象
・最大値引率95％

ポイント セールの売りとなる部分を挙げる

A 大変お待たせしました!コロナ禍明け、初めてのお盆セールがやってきました!このセールは、過去には対象外だった500アイテムが特別価格で提供され、最大で95%もお値引きされます。これは、お客様にとって絶好の機会ですので、見逃さないでください!

コロナ禍の間、我々は皆様と共に立ち向かい、お手伝いをさせていただきました。そして、今やその感謝の気持ちをセールでお返しする番です!500アイテムがセール対象となり、これらのアイテムは通常の価格から最大で95%もオフになります。これは今までになかったチャンスです!

セール対象アイテムは多岐にわたり、ファッション、家庭用品、エレクトロニクス、食品、そしてさらに多くのカテゴリーが含まれます。どのアイテムも品質と価値が保証されていますので、お気に入りの商品を見つけることができるでしょう。

このお盆セールは期間限定ですので、お見逃しなく!お得なアイテムが手に入るこの機会をお見逃しなく、お友達や家族と一緒にご来店いただければ幸いです。お客様のご来店をお待ちしております!

COLUMN

告知文のポイントを明確にして質問することが大切です。このポイントが見えない場合は、「何がポイントか?」と質問してポイントを回答してもらうと、効率的に進められます。

顧客を引き込む魅力的なメールの文面を考えてもらう

プロンプト

Q 「アニバーサリー万年筆」の購入タイミングを見逃さないように、顧客に訴えるメール文章を作成してください。今回購入すると顧客には次のようなメリットがあるので、この点を考慮に入れて作成してください。

・期間限定セール対象
・特別生産品なので購入を逃すと手に入らない
・同じ性能を持つ通常品よりも割引率が高い

ポイント
特徴を箇条書きで挙げる

ここがポイント

顧客を引き込むメールには、商品のコンセプトや売り、顧客にとって魅力的な提案など、さまざまな点を考慮する必要があります。プロンプトにこれらの内容を箇条書きで簡潔に盛り込むと、より魅力的な販促メールを作成できます。

製品のアピールポイントを考えてもらう

プロンプト

Q 「アニバーサリー万年筆」の販売戦略において、独自性をアピールするための3つのポイントを考えてください。

A 「アニバーサリー万年筆」の販売戦略において、独自性をアピールするための3つのポイントを以下に示します:

1. デザインとカスタマイズの多様性:
独自性をアピールするために、アニバーサリー万年筆のデザインに重点を置くことが重要です。異なるカラーオプション、装飾、素材など、多様な選択肢を提供して、顧客が自分の好みに合わせてカスタマイズできるようにしましょう。また、限定版のデザインやカスタム刻印サービスを提供することで、個性的なギフトアイテムとしても注目されるでしょう。

(後略)

注目点
特徴が挙げられていないので、「万年筆」という点から作成された

ここがポイント

販売戦略で製品の特色や独自性をアピールすることは重要です。もし、これらが思いつかない場合は、製品の種類や特徴、独自性などをプロンプトに記述してポイントを挙げてもらいます。回答が曖昧なら、質問を繰り返してブラッシュアップしていきましょう。

顧客へのメッセージを提案してもらう

プロンプト

Q 弊社製品を購入した顧客に感謝の気持ちを伝えるためのメッセージカード文面を考えてください。弊社の情報と製品は次のとおりです。

・弊社情報: 肉加工品製造業
・購入製品: 高級ハム詰め合わせ

ポイント
業種と製品を入力する

A お客様へ
心より感謝申し上げます。弊社の高級ハム詰め合わせをお選びいただき、誠にありがとうございます。お客様のご支持に感謝し、常に最高品質の肉加工品を提供することをお約束いたします。

（後略）

ここがポイント

相手へのメッセージを考えてもらう場合、メッセージの目的をプロンプトに盛り込みましょう。企業の場合は、会社の情報、製品やサービスの情報も併せて記述しておくと、より目的に近いメッセージを生成できます。

製品の重要な機能を挙げてもらう

プロンプト

Q iPhoneの最も重要な機能を3つ挙げ、それぞれの利点と留意点を詳しく説明してください。

A 1. iOSオペレーティングシステム
- 利点: iOSはAppleの独自のオペレーティングシステムで、シンプルで使いやすく、安定性が高いことが特徴です。（中略）
- 留意点: iOSは比較的閉じられたエコシステムであり、カスタマイズ性が限られています。（中略）

2. カメラ機能
- 利点: iPhoneのカメラは高品質で、使いやすいため、写真や動画の撮影に優れています。

（後略）

ここがポイント

製品やサービスが持つ重要な機能を知るには、メジャーな製品では製品名を入力して質問します。あまり知られていない製品やサービスでは、特徴や具体的な内容も追加します。この際、利点と留意点も一緒に質問すれば、その機能が持つ強みと弱みも把握できます。

ポスターのデザインを提案してもらう

ポスターなどのコンセプトデザインは、顧客に訴求するためには非常に重要です。そのため、ChatGPTに質問する場合は、ポスターの目的、ターゲット、メッセージなどをプロンプトに明確に記述することが大切です。ChatGPTは、その情報をもとに、ポスターに必要な情報を提案します。さらに、どのようなビジュアルを配置すべきかなどの提案も行います。

プロンプト

Q Androidスマホの限定オファーを告知するためのビジュアルポスターを作成します。通りすがりの人でも目に留まりやすいデザインコンセプトを提案してください。

ポイント 目的と対象ユーザーを明確に指示する

A Androidスマートフォンの限定オファーを告知するためのビジュアルポスターのデザインコンセプトを提案します。このデザインは通りすがりの人々に目を引き、興味を持たせることを目的としています。

1. 色彩の活用:
   - 鮮やかなカラーパレットを使用し、ポスターに生気とエネルギーを与えます。Androidブランドの特徴的な緑色を使用することで、ブランドを強調します。

2. 大文字でのタイトル:
   - "限定オファー"という言葉を大文字で目立たせ、人々に即座にキャンペーンの主要なポイントを伝えます。

3. ビビッドなスマートフォン画像:
   - Androidスマートフォンの魅力的な画像を中央に配置します。この画像は高解像度で、スマートフォンの特徴がよくわかるものを選びます。

4. QRコード:
   - スマートフォンで詳細情報やオファーへのリンクを簡単にアクセスできるように、QRコードを設置します。

5. カッチリしたフォント:
   - ポスター上のテキストは読みやすいフォントを使用し、情報がわかりやすく伝わります。

（後略）

製品の優れている点をまとめる

プロンプト

Q iPhoneのデザインや機能がほかの競合製品と比較し、具体的に優れている点を表にまとめてください。

ポイント
新しい製品はBing AIに聞く

A

特徴/機能	iPhone の優れている点	競合製品との比較での注意点
ハードウェアとソフトウェアの統合	iOSとiPhoneのハードウェアおよびソフトウェアはシームレスに統合され、安定性が高い。	Androidデバイスは様々なメーカーから提供され、一貫性のあるユーザーエクスペリエンスが得られない場合がある。
ソフトウェアのアップデート	Appleは長期間にわたり、新しいソフトウェアアップデートを提供し続ける。	Androidデバイスはメーカーやキャリアによってアップデートの提供が異なり、セキュリティと新機能のアップデートを受け取るまでに遅れが生じることがある。
セキュリティとプライバシー	iPhoneは高度なセキュリティ機能(Face ID、暗号化など)とプライバシーコントロールを提供。	Androidデバイスはセキュリティとプライバシーの面で一貫性がなく、一部のデバイスは脆弱性があると言われている。

(後略)

製品を別の観点で説明する

プロンプト

Q あなたは最高のショップ店員です。iPhoneを推奨する理由を、顧客の視点から具体的に説明してください。顧客はスマホを使い慣れていない初心者という立場です。

A もちろん、iPhoneをおすすめする理由を、初心者の顧客の視点から具体的に説明いたします。

1. シンプルなユーザーインターフェース:
iPhoneは、直感的でシンプルなユーザーインターフェースを提供しています。 (後略)

ここがポイント

自社の製品を別の視点に立って説明したい場合、プロンプトに立場を明確に記述して質問します。ChatGPTは、その立場の人の観点で回答を返します。これにより、製品を違う観点で見つめ直し、新たな発見につながる可能性があります。

SNS向けの広告文章を提案してもらう

プロンプト

Q 宝島社のランディングページ(https://tkj.jp)を参考にして、Instagram用の広告文章を3つ作成してください。

A 1. 本を愛する人へのアピール:
本の魔法を感じてみませんか?宝島社の最新刊が、あなたを新しい世界へ導きます✨🌍 読書の楽しさを再発見し、知識を広げましょう。今すぐクリックして、読書の冒険を始めましょう。#読書好き #宝島社 #新刊

(後略)

注目点
絵文字やハッシュタグを使った文章が出力される

ここがポイント

SNSで企業の情報を効果的に伝えるには、コンパクトでわかりやすい文章が必要です。ChatGPTを使えば、ランディングページをベースに広告文章を簡単に生成できます。ただし、ChatGPTでURLを読み込ませて提案してもらう場合、Bing AIなどを使ったほうが手軽です。

広告のストーリーとキャッチコピーを考える

プロンプト

Q iPadの広告キャンペーンを作成します。見込み客にアピールするためのストーリーテリングを作成し、それを利用したコピーを3つ考えてください。

A ストーリー1: クリエイティビティの新たな次元へ
iPadは、アーティスト、デザイナー、そしてアイデアを追求するすべての人々にとって、無限の可能性を提供します。それは、あなたの想像力を解き放つキャンバスです。

(後略)

注目点
有名な製品は追加情報なしでコピーができる

ここがポイント

ChatGPTは、製品名などの情報を記述するだけで、ストーリー性のあるコピーを手軽に作成できます。有名な製品であれば、製品名だけでも十分ですが、あまり知られていないものは、特徴を併せて伝えると、より効果的な内容を作成できます。

コピーを作成するためのヒントをもらう

プロンプト

Q 魅力的で説得力のあるコピーを作成するためのヒントを教えてください。製品の特徴は次のとおりです。
・新製品のスナック菓子
・サクサクと軽い食感
・飽きずにいつまでも食べられる
・低カロリーで食物繊維が豊富

A 1. ユーザーのニーズに焦点を当てる: 製品の特徴を強調する前に、ユーザーのニーズや欲望を理解しましょう。この製品は健康志向の人々やスナックを楽しむ人々に向けていることを考え、それに合ったメッセージを伝えましょう。

（後略）

ここがポイント

キャッチコピーなどのアイデアが思いつかない場合は、ChatGPTにヒントをもらうといいでしょう。プロンプトには「魅力的で説得力のあるコピーを作成するためのヒントを教えてください」などと記述し、続けて特徴を箇条書きにします。

コピーや見出しを改善するヒントをもらう

プロンプト

Q ウェブサイトの見出しにインパクトが足りません。一般的に顧客の目をもっと引くようにするための改善点を教えてください。現在の見出しは「健康を気にせず、軽快なスナックタイムを楽しむ!」です。目を引く方法はネガティブな印象ではなく、ポジティブな印象にしてください。

ポイント　修正したい見出し

ポイント　修正の方向性を提示する

ここがポイント

キャッチコピーや見出しに不満がある場合、ChatGPTにアドバイスを生成してもらうことで、より効果的なものにすることができます。具体的なアドバイスを得るには、まず現在の見出しを記述し、そのあとに改善したい方向性を追加します。

顧客の目を引く商品説明文を作成する

商品やサービスをどれだけ丁寧に説明しても、ダラダラと長い文章では読んでもらえません。商品やサービスの魅力を効果的に伝えるには、短時間でわかりやすくまとめることが重要です。ChatGPTに文章を作成する指示を出し、そのあとに商品やサービスの特徴を箇条書きで記述するだけで、キャッチーな文章をすぐに生成してくれます。

プロンプト

Q あなたは最高のセールスライターです。次の特徴を持つ商品について、60秒以内に潜在的な購入者の注意を引くインパクトのあるユニークな商品説明を作成してください。

・さつまいもチーズケーキ
・従来製品よりカロリー50%オフ
・新しい口溶け感
・新発売キャンペーンで価格が30%オフ

ポイント
商品の特徴を箇条書きで

A 新しい食の革命がここにやってきました!お待たせしました、さつまいもチーズケーキの新バージョンが登場です!

これは今までにない、まったく新しいチーズケーキの体験です。なぜなら、我々のチーズケーキはカロリーが従来の製品の50%オフで、ダイエット中の方にもおすすめできる健康的なおやつとなっています。おいしさを犠牲にせず、カロリーを削減しましたので、罪悪感なしに楽しめます!

そして、このさつまいもチーズケーキは新しい口溶け感を提供します。しっとりとしたクリームチーズと、ほんのり甘くて香ばしいさつまいもが絶妙に組み合わさり、口の中でとけるような食感を楽しめます。一口食べれば、その独自の味わいに魅了されること間違いありません!

さらに、新発売キャンペーン中は価格が通常よりも30%オフ!これは絶好の機会です。贅沢な味わいを手頃な価格で楽しんでください。　（後略）

COLUMN

生成された文章に詳細や感情的な訴求を加えたい場合は、その内容をChatGPTに伝えてブラッシュアップしていくと、効率的に目的の文章を生成することができます。

アンケートの項目を考える

プロンプト

Q あなたは最高のプランナーです。美容の悩みに関するアンケートを5個作成してください。条件は次のとおりです。
・30代以上の女性を対象
・設問数は5問
・設問はヘアケアの悩みに関するものとする

A もちろん、美容の悩みに関するアンケートを5つ作成します。以下は、30代以上の女性を対象としたヘアケアに関するアンケートの設問です。

アンケート1: 髪の質感について

1. あなたの髪の質感についてどのような悩みがありますか?(複数選択可)
   - [ ] 髪のパサつき
   - [ ] 髪のうねり・くせ毛

(後略)

ここがポイント

調査などのアンケート項目をゼロから考えるのは、非常に面倒で時間を取られがちです。ChatGPTを使ってアンケート項目を作成する場合は、アンケートの目的、対象者、設問の方向性などをプロンプトで記述します。これだけで、アンケート項目を作成できます。

飲食店のレビューを作成する

プロンプト

Q あなたは最高のグルメライターです。次の飲食店のレビューを作成してください。
・店名: アプリコット
・ジャンル: カジュアルなイタリア料理店
・味: やや味は濃いめだが満足できるレベル
・接客: 接客態度は感じがよく好印象。ただし、フロアの人数が足りていないためか、やや待たされることがある
・価格: リーズナブル

ここがポイント

飲食店などのクチコミを投稿する際、お店の情報や感想をまとめるのは意外と手間がかかります。ChatGPTなら、お店の情報や一言程度の感想を箇条書きで入力すれば、簡単にレビューを作成できます。

ロールプレイでわかりやすい解説を作成する

あるテーマの解説文を作成する際、登場人物が会話で解説してくれると、誰でもわかりやすい文章を作成できます。そのような文章をChatGPTで作るには、登場させるキャラクターと、どのあたりまでを解説するかをプロンプトで指示します。また、キャラクターの口癖も指示しておくと、より親しみやすい内容に仕上がります。

プロンプト

Q 「仮想通貨」についての解説文を次の条件で作成してください。

・ドラえもんとのび太になりきって会話形式で説明する
・ドラえもんはのび太のことを「のび太くん」と呼ぶ
・のび太はドラえもんのことを「ドラえもん」と呼ぶ
・仮想通貨の概要をかみ砕いて説明する

ポイント 有名なキャラクターほど品質が上がる

A のび太くん: おい、ドラえもん、最近よく「仮想通貨」という言葉を聞くけど、それって一体何なの?

ドラえもん: ああ、仮想通貨ってのは、インターネット上で使えるお金のことさ。現実のお金じゃないけど、電子的にやりとりできるんだ。

のび太くん: へぇ、それってどうやって使うの?

ドラえもん: まず、専用のウォレット(財布)っていうアプリをスマートフォンにインストールするんだ。それから、仮想通貨を買うか、もらうかして、そのウォレットに保存できる。

のび太くん: でも、なんで現実のお金じゃないのに価値があるの?

ドラえもん: いい質問だね。仮想通貨は、ブロックチェーンと呼ばれる技術で取引履歴が管理されているんだ。それが安全で、改ざんが難しいから、信頼性があるんだよ。

のび太くん: そうなんだ。でも、どうやって使うの?

ドラえもん: 使い方はさまざまだよ。一部のオンラインショップやサービスでは、仮想通貨で支払うことができるし、友達に送ったりもできる。また、価値が上がることもあるから、投資としても使われているんだ。

(後略)

ブログのテーマを提案してもらう

プロンプト

Q あなたはプロの編集者です。夏の料理をテーマにブログのネタを10個考えてください。

A もちろん、夏の料理をテーマにしたブログのネタを10個考えます。以下は、夏にぴったりの美味しい料理やアイデアです。

1. 夏野菜のグリルレシピ: トマト、ズッキーニ、ピーマンなどの夏野菜を使った美味しいグリルレシピを紹介します。

（後略）

ここがポイント

ブログを書く場合、何をテーマにするかが大切ですが、なかなか思いつかないこともあります。こんなときも、どのようなテーマを考えているかをChatGPTに指示しましょう。あっという間に多くのテーマを提案してくれます。

ブログ向けの記事の構成案を作成する

プロンプト

Q あなたは大人気のインフルエンサーです。以下の条件にしたがって、ブログ記事の章構成を考えてください。
・トマト、ズッキーニ、ピーマンなどの夏野菜を使った美味しいグリルレシピ
・初心者でもカンタンにできる
・後片付けがラクラクなもの

A もちろん、それらの条件に基づいて夏野菜を使った美味しいグリルレシピのブログ記事の章構成を考えます。以下は提案です:

第1章: 夏野菜の魅力
- 夏野菜の美味しさと栄養価について
- グリルでの調理の利点

ここがポイント

ブログ記事を伝わりやすく書くには、記事の構成をしっかりと組み立てることが大切です。プロンプトにテーマや章数、ターゲット層などを記述すると、大まかな構成案を生成してくれます。あとは、必要に応じて質問を繰り返して、よりよい構成に仕上げていきましょう。

ブログ記事のタイトルを提案してもらう

プロンプト

Q あなたはプロの編集者です。次の条件でブログ記事のタイトルを10個考えてください。

・暑さに打ち勝つ
・低カロリー
・映える

（ポイント：箇条書きで内容を作成）

・SEOに強いタイトル
・検索キーワードを前半に含める

（ポイント：そのほかの条件）

A 1.「夏を乗り越える低カロリー食材:体重管理の秘訣」
2.「映えるサラダレシピ:低カロリーで美味しい夏の味」
3.「猛暑対策!低カロリー冷たいスムージーの作り方」
4.「夏の美容と健康:低カロリーおすすめスナックリスト」
5.「暑い季節におすすめの低カロリー冷菓子レシピ」
6.「体重管理に効果的な低カロリー夏のデザートレシピ」

ここがポイント

ブログ記事を多くの人に読んでもらうには、キャッチーなタイトルを付けることが大切です。ChatGPTにテーマや記事の内容、強く訴えたいことなどを指示すれば、すぐにキャッチーなタイトルを生成してくれます。また、「SEOに強いタイトル」という指示を追加すれば、SEO対策も考慮したタイトル案を生成してくれます。

特定の世代に情報を拡散させる方法を調べる

プロンプト

Q Z世代をメインターゲットとして、SNSを使わずに次のイベント情報を拡散させるアイデアを考えてください。

・スイーツをテーマにしたイベント
・開催場所は新宿と横浜

A 1. ポスターとチラシ: スイーツイベントの魅力的なデザインのポスターやチラシを作成し、新宿や横浜の若者向けの場所に掲示しましょう。（中略）
2. 口コミマーケティング: イベント会場周辺のカフェやスイーツショップに協力を依頼し、イベントの情報を訪れるお客さんに伝えてもらいましょう。　（後略）

ここがポイント

情報を拡散させる方法はさまざまですが、これまでのやり方に頼っているだけだと、出てくるアイデアが限られてしまいます。ChatGPTを活用すれば、メインターゲットや内容、条件を記述するだけで、さまざまな拡散方法を生成してくれます。

想定される顧客からの質問を考える

製品やサービスを提供する場合、顧客からの問い合わせは必ずあるものです。そのため、顧客からの質問を想定して、事前に回答を用意しておくことが大切です。ChatGPTを使えば、製品やサービスの詳細、ターゲット層などを記述するだけで、想定される質問を自動的に生成してくれます。

プロンプト

Q 新製品として小型のエスプレッソメーカーを発売することになりました。メインターゲットや製品の特徴は次のとおりです。この際、想定される顧客からの問い合わせにはどのようなものがあるか、またそれに対する回答を考えてください。
・珈琲をあまり得意としないZ世代
・コンパクトで持ち運びしやすい
・火や電気、テーブルがなくても使える
・レバーを握るだけで抽出できる

ポイント
製品の特徴と対象ユーザーは必ず含める

A 1. Q: 珈琲をあまり得意としないZ世代向けのエスプレッソメーカーって、どんな特徴がありますか?

A: 当社の新しい小型エスプレッソメーカーは、Z世代向けに設計されています。特に以下の特徴があります:
- 簡単操作: レバーを握るだけで抽出が可能で、コーヒーのプロでなくても本格的なエスプレッソを楽しむことができます。
- コンパクトなデザイン: コンパクトで持ち運びしやすい設計なので、外出先やキャンプ、オフィスでエスプレッソを楽しむことができます。
- 熱源不要: 火や電気、テーブルがなくても使えるので、どんな場所でも簡単にエスプレッソを作ることができます。

2. Q: どのようにしてこのエスプレッソメーカーを使うのですか?

A: 当社の小型エスプレッソメーカーは非常に使いやすく、以下のステップでエスプレッソを抽出できます。
1.エスプレッソメーカーの底に熱湯を注ぎます(湯沸かしポットやボイラーは不要です)。
2.コーヒーグラウンドをメーカーのフィルターバスケットに入れます。
3.メーカーのレバーを握りながら、お好みのエスプレッソが抽出されるまで待ちます。

(後略)

シックスハット法でアイデアを出してもらう

プロンプト

Q 新宿駅周辺で、ミドル層をターゲットにしたベルギービールを提供するビアレストランをオープンしたいと考えています。シックな内観で、単価は5000円程度を見込んでいます。シックスハット法を使い、それぞれの立場から意見を出してください。

A シックスハット法(Six Thinking Hats)は、異なる視点から問題やアイデアに取り組むためのツールです。以下では、新宿駅周辺でベルギービールを提供するビアレストランを開設する際、シックスハット法を使用して各立場からの意見を述べてみましょう。

1. 白い帽子(情報を提示する立場):
   - ニーズと需要を調査し、新宿駅周辺での競合ビアレストランやバーの数をリサーチする必要があります。また、新宿のミドル層の顧客がどのような種類のベルギービールを好むかについても調査が必要です。

ここがポイント

シックスハット法とは、あるテーマについて6つの視点で考える発想法です。多くはチームで行うことがほとんどですが、ChatGPTを使えば1人でも簡単にこの方法を試せます。この場合、プロンプトにはテーマの詳細を記述しましょう。

ニュースを分析して今後を予想してもらう

プロンプト

Q 次のニュース記事を読んで、今後の展開を予想してください。
・原油価格、3カ月ぶり高値
ロシアのウクライナ侵攻による供給不安から、原油価格が再び上昇している。7月13日には、WTI原油の価格が1バレル当たり120ドルを超え、3カ月ぶりの高値を更新した。

ここがポイント

プロンプトにニュースの詳細を記述すると、今後の予想を立てることが可能です。ただし、回答は必ずしも正確でない点は留意が必要です。

キャッチコピーなどを評価してもらう

プロンプト

Q あなたは最高のコピーライターです。次のキャッチコピーを分析して問題点を指摘し、具体的な改善方法を教えてください。

・スマホを変えたいなら今! 最新機種が最大50%オフ、さらにポイントも2倍

ポイント
コピーの分析と改善方法の提示を指示する

A 問題点:
不明確なメッセージ: キャッチコピーはスマートフォンを「変えたい」というニーズに対応するように見えますが、具体的な情報が不足しており、何が提供されているのかが明確ではありません。　（後略）

ここがポイント

作成したキャッチコピーやテキストなどは、ChatGPTに客観的な評価を依頼できます。評価だけではなく、問題点や改善点も指摘してもらうなら、プロンプトに「問題点を指摘し、具体的な改善方法を教えてください」と付け加えましょう。

顧客向けのニュースレターを作成する

プロンプト

Q 次の商品を紹介する顧客向け週刊ニュースレターを作成してください。

・商品名: タウリン
・効果: アンチエイジング、疲労回復、肝機能向上、眼精疲労回復
・価格: 2個セット6000円、3個セット8500円

A 顧客向け週刊ニュースレター

こんにちは、健康と美容を大切にされている皆様へ。今週の特別なお知らせをお伝えします。私たちが誇りに思う、最新の健康補助食品「タウリン」をご紹介いたします。　（後略）

ここがポイント

ChatGPTを使えば、商品やサービスの名称、提供する内容、価格などを入力するだけで、簡単にニュースレターを作成できます。ターゲット層などの情報を追加すると、より詳しいニュースレターに仕上がります。

ダミーデータを作成する

プロンプト

Q 次の条件で顧客リストのダミーデータをCSV形式で作成してください。

・件数: 20件
・名前: 男女織り交ぜて適当に作成
・住所: 番地の後ろには架空のマンション名と部屋番号を入れる
・電話番号: 末尾4桁はxxxxで統一
・誕生日: ランダム。ただし、20歳以上
・趣味: 野球、映画鑑賞、旅行など適当に作成する

ポイント
条件を指定すれば、よりリアルなダミーに

ここがポイント

ダミーデータの作成は人力だと大変ですが、ChatGPTなら簡単にできます。作成するデータの項目と内容を記述すれば、あっという間に生成されます。リアリティのあるデータにするには、プロンプトで項目の種類や内容を細かく指定するとよいでしょう。

SEOキーワードの候補を挙げてもらう

プロンプト

Q あなたはプロの編集者です。一眼レフカメラのレンズの購入を検討する人をターゲットにした記事を書きます。検索ボリュームが多く、キーワードとして適している単語を箇条書きで挙げてください。

A
1. レンズ選び
2. 一眼レフカメラのレンズ
3. レンズの種類
4. 一眼レフカメラのレンズ比較
5. プライムレンズ vs ズームレンズ
6. レンズの焦点距離
7. レンズの明るさ
8. 画質向上のためのレンズ
9. レンズの価格帯

（後略）

ここがポイント

ブログを多くの人に読んでもらうには、SEO対策が重要です。特にターゲットキーワードは、検索エンジンに上位表示させるために欠かせません。ChatGPTを使えば、記事のテーマとターゲットユーザーの情報を指定するだけで、検索キーワードをピックアップできます。

ゴール達成のためのロードマップを作成する

スキルアップや目標達成には、ロードマップが欠かせません。ChatGPTを使えば、自分の立場、ゴールや目標を指示するだけで、すぐに一般的なロードマップを生成できます。また、特定のスキルを指定すれば、そのスキルに特化したより詳細なロードマップも作成できます。

プロンプト

Q あなたはプロのエンジニアです。次の条件を満たすロードマップを作成してください。

ゴール
エンジニアとしてのスキルや知識を向上させることで、キャリアアップやスキルアップを目指す

目標
・特定のプログラミング言語や技術を習得する
・特定の分野のエンジニアとして専門性を高める
・エンジニアとしてのキャリアを築く

ポイント
ロードマップにはゴールと目標が必須だ

A エンジニアとしてのスキルと知識を向上させ、キャリアアップやスキルアップを達成するためのロードマップを以下に示します。このロードマップは一般的なガイドラインであり、個人の目標や興味に応じてカスタマイズすることができます。

ステップ1: 基本的なプログラミングスキルの獲得
- プログラミング言語の基礎を学びます。おすすめの言語はPythonやJavaScriptです。
- 基本的なアルゴリズムとデータ構造について学びます。
- オンラインの無料コースやチュートリアルを利用して、プログラミングの基礎を習得します。

（後略）

COLUMN

習得スキルが決まっている場合は、「Pythonなどの言語でのNLPライブラリの使い方を学ぶ」のように具体的に指示すると、より詳細なロードマップが生成されます。

ユーザーの経験談を作成する

プロンプト

Q 「iPad」を使った経験のある50代女性がメリットなどを語る記事を作成します。「iPad」を実際に使った人の体で便利だった点を語る内容の記事を作成してください。

A iPadは、私の生活に革命をもたらした素晴らしいデバイスです。50代の女性として、iPadが私にとってどれだけ便利であるかをご紹介します。この記事では、iPadを活用する際のいくつかのメリットについてお話しします。

1. 軽量かつコンパクト
iPadは非常に軽量でコンパクトなデバイスです。

（後略）

ここがポイント

ChatGPTを使えば、性別や年代、感想の方向性などを記述するだけで、広告用にリアルな経験談を簡単に生成できます。掲載すると、説得力がアップしてより効果的に訴求できます。ただし、経験談に適切でない内容が含まれることもあるので推敲は必須です。

業界の最新技術などを紹介する記事を作成する

プロンプト

Q あなたは出版界のベテランです。この業界における最新技術やイノベーションについて、詳しく解説する記事を作成してください。

A タイトル：出版界のデジタル革命：最新技術とイノベーションの展望

はじめに
出版界は、デジタル技術の急速な発展により、大きな変革を経験しています。電子書籍、オンライン出版、ソーシャルメディアなどの新たなテクノロジーとイノベーションが、出版の方法と業界全体のダイナミクスを変えつつあります。（後略）

ここがポイント

業界の情報やイノベーションをWebで検索するのは面倒です。ChatGPTに質問すると、必要な情報を簡単にまとめて生成してくれるので便利です。ただし、ChatGPTは最新の情報に対応できないため、Bing AIなどのAIサービスを使うのが、確実な方法です。

データや研究を使ってコピーを考える

プロンプト

Q 次の研究結果を使って、光回線の販売促進をするためのキャッチコピーを考えてください。

自宅用に光回線またはホームルーターまたはモバイルルーターを契約している人を対象に、契約している各インターネット回線サービスを聞いたところ(光回線は単数回答、ホームルーターとモバイルルーターは複数回答)、光回線は「ドコモ光」が21.4%と最も多く、次に「SoftBank 光」が16.1%、「フレッツ光」と「auひかり」が12.6%となった。

ここがポイント

コピーなどを作成する場合、すでに発表されているデータや研究結果を用いれば、事実に基づく説得力あるコピーができます。ChatGPTにコピー作成の指示とともにデータや研究結果を入力すれば、事実に基づいたコピーが生成できます。

製品をアピールするストーリーを考える

プロンプト

Q あなたはプロの広告マンです。モバイルルーターを新社会人にアピールするために、どのようなストーリーを使った説明が効果的か考えてみてください。できるだけ未来は明るいというテイストにしてください。

> **ポイント** 誰に向けての広告かを決める

> **ポイント** 雰囲気をどうするかを指示する

A タイトル: "未来へのスムーズなスタート"
シーン1: 新しい始まり
新社会人のあなたは、明るい未来に期待と興奮を抱えて、新しい職場に向かっています。しかし、社内でのデジタル作業が多く、スマートフォンやノートパソコンが必要です。 (後略)

ここがポイント

商品やサービスの販促に、具体的なイメージを伴ったストーリーは効果的です。プロンプトに対象の商品やサービス、ターゲット層、ストーリーのニュアンスなどを入力すれば、目的に沿ったストーリーが生成されます。

新しいアイデアを取り入れて考えてもらう

プロンプト

Q あなたは飲料メーカーの敏腕マーケターです。お茶に対してあっと驚く「何か」を組み合わせて、一般的なお茶に飽きた人が思わず買いたくなるような斬新な新商品を計画しています。その組み合わせる「何か」を考え、商品名を考えてください。

A 新商品のアイデア: "フルーティー・ブレンド・ブリーズ"

この新商品は、お茶と新鮮なフルーツジュースを組み合わせたユニークな飲み物です。例えば、ハイビスカスティーとストロベリージュースを組み合わせたり、グリーンティーとマンゴージュースを組み合わせたりします。これにより、お茶の風味と新鮮なフルーツの自然な甘さが調和し、さわやかな味わいが楽しめます。

（後略）

ここがポイント

斬新なアイディアはなかなか思いつかないものです。ChatGPTにそんなアイデアを作成してもらうと、自分の発想力も広がるのでおすすめです。この場合は、ChatGPTにテーマや目的、対象となる商品などを指示します。

会議のアジェンダを作成する

プロンプト

Q あなたはプロジェクトリーダーです。次のテーマで販売促進会議が行われます。そのためのアジェンダを作成してください。
・コンビニでの売り上げ低迷
・この課題を解決する方法

ポイント
会議の参加者や予定時間を入力すると、より詳しい内容が得られる

A 販売促進会議のアジェンダ:
1. 開会と挨拶
  - 会議の目的と重要性の説明
  - 参加者の自己紹介
2. コンビニでの売り上げ低迷の分析

（後略）

ここがポイント

ChatGPTに会議のアジェンダを作ってもらう場合は、会議の目的と議題を記述してアジェンダの作成を指示します。ただし、これだけだとかなりザックリとした内容になるので、詳細に作る場合はプロンプトに参加者とその役割、全体の所要時間も追加します。

仮想ディベートで問題点を洗い出す

1人で行うことは難しいディベートも、ChatGPTを使うと簡単に実施できます。この場合、ディベートの議題を明確にするのはもちろんですが、参加する人の立場も明確にしておくようにしましょう。これらの情報を含めてディベートを行うようにChatGPTへ指示すれば、かなり深いレベルのディベートにすることができます。

プロンプト

Q 「円安は是か非か」をテーマに、円安賛成派の一般人A、円安反対派の一般人B、リフレ派の経済学者Cの間でディベートを展開してください。ディベートは次の条件で行ってください。

・表示は参加者の発言形式にする
・司会者は登場させない

ポイント
仮想ディベートでは
参加者の立場を明確にする

A 一般人A(円安賛成派): 円安は経済にとって非常に重要です。まず、輸出企業にとって競争力を高め、国内の雇用を維持するために不可欠です。円高の時に、日本の製品は海外市場で高価で競争力が低下します。円安は、これを解決する手段の一つです。

一般人B(円安反対派): それはわかりますが、円安はインフレを引き起こす可能性があります。安い円は輸入品の価格を押し上げ、国内の生活コストを上昇させるかもしれません。また、円安政策は他国との通貨間の摩擦を引き起こし、国際的な問題を招くかもしれません。

経済学者C(リフレ派): 円安政策にはリスクがありますが、その利点もあります。日本はデフレに悩んでおり、円安はインフレを刺激し、経済を活性化させる可能性があります。ただし、バランスが必要で、円安が過度に進むことは問題です。適切な調整が必要です。

一般人A(円安賛成派): 確かに、バランスが大切です。円安政策は経済全体に影響を及ぼすため、慎重に調整する必要があります。ただし、輸出産業にとっては大いに助けになりますし、それが国内の雇用を守る手段でもあります。

(後略)

COLUMN

ディベートによって浮き彫りになった問題点をすぐにまとめたいときは、「このディベートで浮き彫りになった問題点をまとめてください」のように指示します。

行うタスクの優先順位と期間を整理する

プロンプト

Q 掃除機の新商品のアイデア提案を30日後に行います。プレゼン形式で提案をするために必要な工程を提案し、さらにスケジュールを立てて表形式で教えて下さい。また、各工程で明らかにすべき内容と、それを得るために調べるべき情報も表に組み込んで下さい。なお、アイデアの提案のみで、試作品を用意する必要はありません。

A 以下は、掃除機の新商品のアイデア提案のためのプレゼン形式での工程とスケジュールの例です。このスケジュールは、30日後のプレゼンテーション日に向けて準備を進めるための一般的なガイドラインです。 （後略）

ここがポイント

業務のスムーズな進行には、実行するタスクと優先順位を明確にすることが大切です。これらをChatGPTに生成してもらう場合は、業務のゴールと期間、やるべきことなどをプロンプトに記述します。タスクに漏れが出ないように、できるだけ詳しく入力するようにしましょう。

事業立ち上げの懸念点を洗い出す

プロンプト

Q あなたは優秀な経営コンサルタントで、私は出版社の職員です。次の内容で新規事業立ち上げを計画しています。日本での事業化における懸念点を指摘してください。
・月刊誌「都会暮らし」のウェブ版を立ち上げる
・無料プランと有料プランを作成する
・無料プランは一部の記事が読めない
・「都会暮らし」の記事転載以外に、ウェブ版限定のランキング記事も掲載する

A 1. 著作権とコンテンツ制作: 月刊誌「都会暮らし」のウェブ版を立ち上げる場合、オリジナルコンテンツの制作が必要です。著作権や著作者の許可を取得するためのプロセスを確立しましょう。 （後略）

ここがポイント

事業の立ち上げなど、新しいことを始める前にはリスクなどを洗い出すことが重要です。プロンプトに新規事業の目的、プランの内容、制限事項などを記述して懸念点を洗い出すように指示すれば、コンサルタントのように懸念点をピックアップしてくれます。

プレゼンテーションの叩き台を作成する

プロンプト

Q 次の条件でプレゼン資料の叩き台を作成してください。

###全体

・テーマ: ネットセキュリティの重要性

・スライド枚数と長さ: 10ページ、30分

・対象: ネットの知識に疎い上層部

###スライドの内容

・ネットの知識がない人にもわかるように平易な言葉で書く

・各スライドに配置するイラストのテーマを提示する

###トークスクリプト

・「ネットセキュリティとは?」をテーマに高齢者でも理解できるトークスクリプトを作成する

ここがポイント

プレゼンテーションを作成する場合、ChatGPTに叩き台を作ってもらうと実際の作成作業が楽になります。叩き台の作成には、プレゼンのテーマや対象者、スライドの枚数などを指定します。また面倒なトークスクリプトも作成しておくのがおすすめです。

顧客に訴える営業メールのテクニックを聞く

プロンプト

Q あなたは最高のセールスライターです。営業メールで相手にアクションを起こさせるための、効果的なCTA(コール・トゥ・アクション)を作成するテクニックを教えてください。

A 1. 明確なアクションを提示: CTAは明確で具体的なアクションを示す必要があります。例えば、「今すぐ購入する」、「無料トライアルを始める」、「詳細を読む」など、相手に何をすべきかを明確に伝えましょう。

2. 動詞を使う: CTAには力強い動詞を使いましょう。例えば、「始める」「試す」「探す」「参加する」など、行動を促す言葉を選びます。 (後略)

ここがポイント

営業メールなどの文章を書くのに悩んだ場合、どのような点に気をつけるべきかをChatGPTに相談すると、効果的なテクニックをまとめて教えてくれます。重要なポイントをすぐに知ることができるので、困ったときはすぐに相談するのがおすすめです。

第4章

生活の中で ChatGPTを使う

箇条書きから文章を作成する

書きたいことを文章の中にうまく盛り込むのは、かなりストレスのかかる作業です。読者にわかりやすく、自分勝手にならないようにしたいなら、伝えたいことを箇条書きにしてからChatGPTに文章を生成してもらうといいでしょう。なお、「段落にして」という指示でも文章を作成できます。

プロンプト

Q あなたは最高の記者です。以下の箇条書きの内容をもとに、文章を作成してください。

・デジタルトランスフォーメーションは急速なビジネス環境の変化に対応するための重要な要素である。
・デジタル技術を活用することで、企業は競争力を高め、新たな可能性を追求できる。
・データ分析を活用してリアルタイムの洞察を得ることができ、意思決定をサポートする。
・データセキュリティとプライバシーに対する注意が必要。

ポイント
もっと大ざっぱな書き方でもよい

A デジタルトランスフォーメーション（DT）は、急速なビジネス環境の変化に対応するための不可欠な要素となっています。この新しいビジネスの潮流は、企業にとって競争力を高め、新たな可能性を追求するための鍵となっています。

注目点
箇条書きの内容を膨らませている

デジタル技術の活用は、企業に多くの利益をもたらしています。最新のテクノロジーを駆使することで、業務プロセスを効率化し、顧客体験を向上させることが可能です。また、新しい市場や顧客層にアクセスするための新たなチャンスを提供しており、競合他社から一歩先んじた存在となることができます。

データ分析は、デジタルトランスフォーメーションの不可欠な要素の一つです。リアルタイムのデータ収集と分析を通じて、企業は市場動向や顧客の行動に対する洞察を得ることができます。これにより、意思決定プロセスが迅速かつ正確に行えるため、競争力を維持し、成長するための戦略を練るのに役立ちます。

しかし、デジタルトランスフォーメーションにおいては、データセキュリティとプライバシーに対する注意が必要です。データは貴重な資産であり、悪意ある第三者からの攻撃や情報漏洩から守るために、適切なセキュリティ対策と規制の遵守が不可欠です。

（後略）

三題噺を作ってもらう

プロンプト

Q あなたはベテランの落語家です。以下の3つの言葉から、ユニークな三題噺を作ってください。
・シェフ
・財布
・病院

A もちろん、三題噺をお楽しみいただきましょう。

ある日、繁忙なレストランで働いていたシェフが、夕食の準備をしている最中に、財布をなくしてしまいました。シェフは慌てて調理場を探し回りましたが、どこにも財布は見当たりませんでした。財布には大切な家族の写真と、病院で入院中の祖母からもらったお守りが入っていました。（後略）

ここがポイント

落語でおなじみの三題噺も簡単に生成できます。プロンプトに3つのキーワードを記述するだけでOKです。「ユニークな」や「ホラー風テキストに」のようにトーンを指示すると、より劇的なストーリーになりますが、細かい指示を行うと、やや強引さが目立つ回答になります。

特定のテーマのエッセイを書く

プロンプト

Q あなたは最高のエッセイストです。[テーマ（例:温泉とグルメ）]をテーマに、400字程度のエッセイを書いてください。執筆者は20代の女性で、かなりの食いしん坊です。これらの執筆者の個性も反映させてください。

A 温泉とグルメの魅力

私は20代の女性で、自己紹介に「食いしん坊」と書いても差し支えないほど、食べることが大好きです。そして、その食欲を満たすために、温泉とグルメのコンボはまさに最高の幸せです。（後略）

ここがポイント

プロンプトにテーマやタイトルを追加するだけで、かなりしっかりした内容のエッセイが生成されます。ただ、エッセイは書き手の個性も醍醐味の1つなので、執筆者の属性も指示に加えると、よりユニークな内容になり、文章の口調も個性的に仕上がります。

日記を簡単に書く

プロンプト

Q 本日、2023年10月30日にあった以下の出来事を日記としてまとめてください。ただし、ここに含まれない事象は書かないでください。

- 午前8時に起床
- 朝食はあまり食べる気にならず、牛乳コップ1杯
- 通勤電車内で課長に遭遇。相変わらず無愛想
- 会社の机の上に資料の山。気分が重くなる
- 広岡さんのサポートで何とか今日中に資料整理完了
- 帰りに馴染みの店でジャンボとんかつ定食をガッツリ食べる

A 2023年10月30日の日記:
今日は朝、午前8時に起床しました。眠い目をこすりながらの起床でしたが、新しい一日が始まりました。
朝食はあまり食べる気にならず、牛乳コップ1杯だけを摂りました。（後略）

ここがポイント

その日の出来事を箇条書きで羅列するだけで、日記としてまとめてもらうことが可能です。ただし、勝手に作った内容が盛り込まれないように、「ここに含まれない事象は書かないでください」と指示を追加します。

ポイント

内容の制限をしないと、架空の出来事が含まれてしまう

クレーム用の文章を作成する

プロンプト

Q ネット通販で購入したガラスケースが、こちらに到着した時点ですでに破損していました。販売会社に送るクレームの文章を作成してください。新しい商品への交換を希望します。

A 以下は、ガラスケースの破損に関する販売会社へのクレームのメールの例です。このテンプレートを参考にして、状況に合わせてカスタマイズしてください。

（後略）

ここがポイント

このプロンプト例では、ネット通販で破損品を受け取った場合のクレームメールを作成しています。プロンプトには、何に対するクレームなのか、どういった対応を希望するのかを簡潔に記述します。

慣用句や四字熟語を物語で解説してもらう

ChatGPTは物語形式の解説を生成するのも得意です。たとえば、慣用句や四字熟語の意味を説明してもらいたいときは、プロンプトで国語学者としての役割を与え、わかりやすく説明するように強調します。慣用句や四字熟語はカギカッコで囲んで、説明対象であることを記述しておきましょう。物語ですんなり意味が入ってくるので、子どもの学習にも最適です。

プロンプト

Q あなたは最高の国語学者です。「一石二鳥」をわかりやすく物語形式で解説してください。

A もちろん、喜んで「一石二鳥」の意味を物語形式で解説します。

注目点 言葉の意味を正しく解釈できるとは限らないので注意

昔々、ある小さな村があったとします。この村は美しい庭園と、美味しい果物がたくさん実る果樹園で有名でした。しかし、この村には悩みがありました。近くにある川が増水し、毎年洪水を引き起こしていたのです。

ある日、村の長老たちが集まり、この洪水の問題を解決しようと話し合いました。村の長老の一人、賢い老人が提案をしました。彼は言いました、「私たちは洪水を防ぐために、川岸に大きな石を積み上げることができます。」

この提案は受け入れられ、村人たちは一石一石、大きな石を川岸に積み上げました。これにより、川の水流が抑えられ、洪水の被害を減少させることができました。しかし、老人はまだ足りないことを指摘しました。

「この石を使うことで、私たちはもう一つの問題を解決できるかもしれません。」と老人は言いました。果樹園はしばしば鳥による害を受けていたのです。彼は提案を続けました。「これらの石を使用して、果樹園を囲む柵を建てましょう。これにより、鳥たちは果物に近づけなくなります。」

（後略）

COLUMN

物語はお任せでも問題ありませんが、たとえば、プロンプトの末尾に「ストーリーはサッカーに関するものにしてください」のように追加すれば、ストーリー展開を指示できます。

友人の結婚式のスピーチを作成する

プロンプト

Q あなたは最高のスピーチライターです。以下の条件に基づき、友人の結婚式のスピーチを作成してください。
・私: 鈴木太郎
・新郎: 佐藤次郎
・新婦: 田中沙也加
・私は新郎の大学時代の友人
・名前を呼ぶときは「さん」を付ける

ポイント
二人と自分の関係性を明示する

A 皆さん、こんにちは。私は鈴木太郎と申します。まず初めに、佐藤次郎さんと田中沙也加さんにお幸せをお祈り申し上げます。この特別な日に、お二人の愛を祝福できることを本当に嬉しく思います。
佐藤次郎さんとは大学時代からの友人であり、彼が田中沙也加さんと出会った瞬間から、彼の人生が大きく変わる瞬間を見届けることができました。（後略）

ここがポイント

冠婚葬祭のスピーチでは、ChatGPTにスピーチライターとしての役割を与えて原稿を生成してもらいます。たとえば結婚式のスピーチなら、挨拶する人、新郎新婦、関係性などを指示すると、一般的な祝辞の内容を生成してくれます。

誕生日プレゼントのアイデアを出してもらう

プロンプト

Q あなたは人を喜ばせるのが好きなアイデアマンです。思いもよらない観点で、62歳の母親に贈るプレゼントのアイデアを10個考えてください。

A 1. スパ・リラックス体験: マッサージやフェイシャルなどのスパトリートメントを予約して、リラックスできる特別な日をプレゼントしてみてはいかがでしょうか。

2. 趣味に合ったアクティビティ: 母親の趣味に合ったアートクラス、料理教室、または庭園デザインワークショップへの参加を考えてみてください。（後略）

ここがポイント

さまざまなアイデアを生成してもらうのは、ChatGPTの定番の使い方です。このプロンプトでは、「人を喜ばせるのが好きなアイデアマン」としての役割を与えましたが、プレゼント相手の趣味などに合わせて、属性を変えるのもおすすめです。

趣味のブログ記事の構成を考える

ChatGPTにブログの構成案を生成してもらう場合のプロンプトには、Webディレクターとしての役割を与え、書きたい記事のテーマ、章の数などを記述します。でき上がった構成案に問題がなければ、なるべく細かく切って指示することによって、長文記事を生成してもらうことが可能です。

プロンプト

Q あなたは最高のWebディレクターです。「温泉旅行の近未来」をテーマにブログ記事用に全6章の構成案を考えてください。

ポイント テーマと章の数を指示する

A もちろん、温泉旅行のテーマでブログ記事を書くための全6章の構成案を考えます。以下がその案です。

第1章: 未来の温泉旅行のトレンド
・未来の温泉旅行の予測とトレンドを紹介
・テクノロジーと温泉旅行の融合について考察
・グリーン旅行とサステナビリティの役割

注目点 節ごとに書いてもらうと長文になる

第2章: デジタル体験の進化
・仮想現実(VR)と拡張現実(AR)の温泉旅行への影響
・デジタルツールを活用した温泉地のリサーチ方法
・オンライン予約とデジタルガイドの便益

第3章: 健康とリラクゼーションの未来
・未来のスパトリートメントとウェルネス施設の展望
・バイオハッキングと温泉旅行の関連性
・メンタルヘルスと温泉の癒しの力

第4章: 未来の宿泊施設と温泉リゾート
・スマートホテルと未来の宿泊施設の特徴
・プライバシーとセキュリティの向上
・環境への配慮と持続可能な宿泊オプション

第5章: 未来の観光スポットとアクティビティ
・温泉地周辺の未来の観光名所
・デジタルガイド付きのアウトドアアクティビティ

(後略)

予算に応じたデートのプランを考えてもらう

プロンプト

Q あなたは最高の恋愛プランナーです。以下の条件をもとに、恋人と楽しめる予算3万円のデートプランを作成してください。
・彼女の趣味はアウトドア全般
・最近はキャンプにはまってる

A 1. ハイキングとピクニック(予算: 約5,000円)
- 午前中に近くの自然公園や山にハイキングに出かけましょう。彼女のアウトドア愛を存分に楽しめます。(中略)

2. キャンプ場でのキャンプ体験(予算: 約10,000円)
- 午後には近くのキャンプ場に移動し、テントを張りましょう。 (後略)

ここがポイント

デートプランをChatGPTに生成させる場合は、「恋愛プランナー」など、恋愛に精通した専門家の役割を与えます。それに加えて、デートの予算、相手の趣味や最近興味を抱いていることなどを記述しましょう。

ファッションのアドバイスをしてもらう

プロンプト

Q あなたは最高のスタイリストです。私は20代前半の女性です。初夏に京都へ旅行に行く際の服装を考えています。おすすめのコーディネートを提案してください。

A コーディネート1: フェミニンな浴衣スタイル(中略)
- 浴衣: 色と柄は自分の好みに合わせて選びましょう。淡い色合いや花柄が初夏にぴったりです。
- 帯: 色をコーディネートし、帯締めを使ってアクセントを付けるのがおしゃれです。
- 下駄: 伝統的な下駄や草履を履いて、和の趣を楽しんでください。 (後略)

ここがポイント

ファッションのコーディネートを提案してもらうときには、「スタイリスト」などファッションの専門家をプロンプトで指示します。あとは自分の性別や年代、目的などを記述して、コーディネートを生成してもらいましょう。

本格的な俳句を作成する

プロンプト

Q あなたは現代最高の俳句作家です。「天の川」の言葉を使って、五音-七音-五音の俳句を10個作成してください。

A もちろん、お手伝いできます。以下は「天の川」をテーマにした俳句の10句です:

1. 天の川　銀河の夢　夜空に浮かぶ
2. 天の川　星たち舞う　夢の航路
3. 天の川　水鏡に映る　天の川
4. 天の川　夜の帳を　切り裂いて

（後略）

注目点
出来は今ひとつだ

ここがポイント

ChatGPTに俳句を生成させるには、プロンプトで俳句作家としての役割を与え、季語を含めたうえで、五七五で構成することを指示します。生成された俳句が単調に感じる場合は、「ユニークな」や「独創的な」のような指示を追加するといいでしょう。

著名な書籍の内容を解説してもらう

プロンプト

Q あなたは書評のプロです。
デール・カーネギーの「How to Stop Worrying and Start Living」についての概要を教えてください。

ポイント
原語で書名を与えるとよい

A 「How to Stop Worrying and Start Living」は、デール・カーネギーによって書かれた自己啓発書で、ストレスや不安から解放され、より充実した人生を送る方法についての指南書です。この本は、1948年に初版が出版され、その後も多くの人々に愛読され続けています。

（後略）

ここがポイント

2021年9月以前にヒットした世界的なベストセラーであれば、書籍の内容を解説してもらうことができます。プロンプトには、書評家としての役割と、書名を記述して質問するだけでOKです。なお、原書が英語の場合は、英語タイトルで聞くほうが正確です。

食材からオリジナルのレシピを考えてもらう

ChatGPTは、定番料理のレシピを生成することができますが、食材を指定してオリジナルレシピを考案してもらうこともできます。この場合のプロンプトでは、一流シェフとしての役割を与え、使用する食材を箇条書きで記述すればOKです。作り方の手順も生成されますので、ぜひ参考にしてみましょう。

プロンプト

Q あなたは最高のシェフです。以下の食材を使って、あなただけのオリジナルのレシピを作成してください。

・豚バラ肉
・チンゲンサイ
・椎茸
・木綿豆腐
・卵

ポイント
使用する食材を列挙する

A もちろん、オリジナルのレシピを考えます!以下は、豚バラ肉、チンゲンサイ、椎茸、木綿豆腐、卵を使った美味しい一品です。

豚バラ肉と椎茸の豆腐包み焼き

材料:
・豚バラ肉(薄切り): 200g
・チンゲンサイ: 1束
・椎茸: 4個(小さいもの)
・木綿豆腐: 1丁
・卵: 2個
・醤油: 2大さじ
・みりん: 2大さじ
・砂糖: 1大さじ
・ごま油: 1大さじ

(後略)

COLUMN

ChatGPTが生成したレシピはユニークですが、味は保証してくれません。レシピを自分で考えるときの補助として使うにとどめましょう。

X（旧Twitter）の1週間分のポストを作成する

プロンプト

Q あなたはSNSのプロです。これから毎日1週間Twitterに投稿するので、ツイートを1週間分作成してください。
・テーマは旅行
・ポジティブな内容にする
・ハッシュタグや絵文字を適度に使う

ポイント テーマと雰囲気を指定する

A ツイート1: "朝日の下、新しい冒険のスタート✈️☀️今日はどの素敵な場所に行こうかしら? #旅行 #新たな冒険 #夢のような日"
ツイート2: "昨日の夜、星を眺めながらキャンプファイヤーを楽しんだ🌌🏕️自然とのふれあいは最高のリラックス✨ #キャンプ #星空 #自然の美しさ"
ツイート3: "飛行機からの景色は圧巻!窓からの眺めに魅了されっぱなし✈️🏞️ #窓からの景色 #旅行 #空の旅"

（後略）

ここがポイント

Xで毎日投稿するときは、1週間まとめて投稿内容を生成してもらうことが可能です。プロンプトでは、ChatGPTにSNSのプロやインフルエンサーなどの役割を与え、投稿内容のテーマや雰囲気などを指示します。

ネットオークションで売れやすい商品説明を作成する

プロンプト

Q あなたはネットオークションで商品を売る達人です。以下の商品をネットオークションで売るための、効果的な商品説明を作成してください。
・2016年製の中古のミラーレス一眼カメラ
・本体重量350g
・超望遠レンズもおつけします
・送料無料
・価格は2万5000円～

ここがポイント

ネットオークションの説明文を作るには、オークションの達人としての役割を与え、目的として売れやすくすることを明示します。あとは、商品情報を箇条書きで記述すれば、説明文が作成されます。

文章の空欄にフィットする言葉を考えてもらう

プロンプト

Q あなたは最高のライターです。以下の文章の下線部の空欄に入る言葉としてふさわしいものを7種類提案してください。

新しい未来への道は、____と希望に満ちています。過去の経験を活かしながら、勇気を持って新しい一歩を踏み出しましょう。

A
1. 創造性
2. チャンス
3. 刷新
4. 堅実性
5. 目標
6. 成長

（後略）

ここがポイント

文章の空欄に入りそうな言葉をChatGPTに生成してもらう場合は、プロンプトでライターや記者、編集者など、言葉を扱う専門家の役割を与えます。また、文脈に沿った言葉が提案されるように、「ふさわしいもの」などの指示を加えましょう。

漢字ドリルを作成する

プロンプト

Q あなたは小学校の教師です。難易度を3段階に分けて漢字の読み方の問題を5問ずつ作成し、解答と詳しい解説もお願いします。解答形式は記述式とします。

ポイント
得たい情報を明記する

A 初級（難易度1）

1. 問題：「犬」の漢字を読んでください。
   解答：いぬ
   解説：「犬」は「いぬ」と読みます。

（後略）

ここがポイント

ChatGPTは漢字の読み方の問題集も作成できます。プロンプトでは、教師や国語学者などの役割を与え、問題と解答の形式などを記述します。この際に、難易度を段階的に分けて作成するように指示しておくと、習熟度に応じた問題を生成してもらえます。

お金の支出状況をチェックする

ChatGPTにお金の使い方をチェックしてもらう場合は、ファイナンシャルプランナーなどのお金の専門家として振る舞ってもらいます。もちろん実際の資格者ではありませんので、アドバイス内容は一般的なレベルにとどまりますが、支出の内訳を貼り付けると、問題点などを生成してもらうことができます。

プロンプト

Q あなたは最高のファイナンシャルプランナーです。私は1カ月の手取り給料が20万円で、以下のように使っています。お金の使い方についてチェックし、使いすぎなどの問題点があればアドバイスをお願いします。
・家賃　80000円
・食費　45000円
・光熱費　15000円
・交際費　20000円
・通信費　12000円
・被服費　20000円
・雑費　8000円

ポイント
支出の内訳を記述する

A あなたの収入と支出についての情報を提供いただき、お金の使い方についてアドバイスをお求めいただきありがとうございます。以下に、あなたの支出の評価とアドバイスを提供します。

1. 家賃(80,000円):
家賃は手取り収入の40%を占めています。一般的に、家賃は収入の30%未満が理想的です。もしできるだけ家賃を削減できるオプションを検討してみてください。例えば、ルームメイトを探す、住宅ローンを検討する、低価格の住宅地域に引っ越すなどの方法が考えられます。
2. 食費(45,000円):
食費は手取り収入の22.5%を占めています。これは一般的に健康的な予算内に収まっているように見えます。　(後略)

注目点
収入全体に占める割合から評価される

COLUMN

お金や投資にまつわることは、非常にデリケートな問題です。生成AIの回答はあくまでも参考にとどめ、最終的には自分自身で情報を集めて判断することが大切です。

株式投資の指標を調べる

プロンプト

Q あなたは最高のファンドマネージャーです。株式投資をする際に参考にするべき指標を教えてください。

A 1. PER (Price-to-Earnings Ratio):
- PERは株価を企業の一株当たりの利益で割った比率で、株式の評価を行うための基本的な指標です。低いPERは通常、株が割安であることを示し、高いPERは株が過大評価されている可能性があることを示唆します。

2. P/B (Price-to-Book Ratio): （後略）

ここがポイント

株式投資で参考にするべき指標の意味がよくわかっていない場合もあるでしょう。ChatGPTに意味をたずねる場合は、プロンプトで投資に長けたファンドマネージャーとしての役割を与えると、おもな指標をピックアップした解説を生成してもらえます。

分散投資について調べる

プロンプト

Q あなたは最高のファンドマネージャーです。効果的な分散投資の方法を教えてください。

A ファンドマネージャーの役割は、適切な分散投資戦略を開発し、ポートフォリオを管理することです。効果的な分散投資は、リスクを最小限に抑え、リターンを最大化するために非常に重要です。以下は、分散投資の基本的な原則です。

1. 資産クラスの分散:
リスクを分散させるために、異なる資産クラスに投資します。主要な資産クラスには、株式、債券、不動産、現金、商品などが含まれます。これらの資産クラスは異なる市場条件に異なる反応を示すため、組み合わせることでリスクを軽減できます。（後略）

ここがポイント

分散投資は、初心者が必ず知っておくべきリスク管理の鉄則です。ChatGPTに解説を生成してもらう場合は、プロンプトでファンドマネージャーとしての役割を与え、「効果的な」「具体的な」などの文言を加えて指示をすると、詳しい解説を生成してくれます。

金融政策の影響を見極める

プロンプト

Q あなたは最高のファイナンシャルプランナーです。我が家は、35歳の会社員の夫と、33歳の専業主婦の妻、7歳の子どもの3人暮らしで、ローンが25年残っている持ち家に住んでいます。貯蓄額は400万円です。金利が上がると、どのような影響があるか教えてください。

A 住宅ローンに与える影響:
1. 月々の返済額の増加: 金利が上昇すると、住宅ローンの金利も上昇し、毎月の返済額が増加します。これは家計への負担を増やす可能性があります。
2. 総返済額の増加:　（後略）

ここがポイント

日本ではマイナス金利政策が続いてきましたが、ついに金利上昇が現実味を帯びてきました。金利の影響を質問する場合は、プロンプトに家族の内訳、資産状況などを記述します。ChatGPTにはファイナンシャルプランナーの役割でアドバイスしてもらいましょう。

投資の効果を単利と複利で比較する

プロンプト

Q 100万円を年利5%で単利で運用した場合と、複利で運用した場合を比較表にしてください。運用期間は5年間とします。計算式は不要なので、結果のみお願いします。

A 運用期間5年間で、100万円を年利5%で運用した場合の結果は以下の通りです。

年数	単利（円）	複利（円）
1年	1,050,000	1,050,000
2年	1,100,000	1,102,500
3年	1,150,000	1,157,625
4年	1,200,000	1,215,506.25

（後略）

ここがポイント

単利と複利の運用結果を比較したい場合は、プロンプトに運用金額と利率、運用期間を記述するだけで比較表を生成してもらえます。ここでは計算精度を確保したいので、ChatGPT有料版の「Advanced Data Analysis」を利用しています。

英文から単語帳を作成する

ChatGPTは英語学習にも大活躍します。たとえば、英文から単語帳を作成したい場合には、もとになる英文を用意して質問すれば、そこから単語を抽出し、それに日本語の意味を付けた表を簡単に生成してくれます。また、出力された単語帳をExcelなどで管理したい場合には、プロンプトで「CSV形式で出力してください」と指示すれば、CSVデータが取得できます。

プロンプト

Q あなたは有能な英語教師です。以下の文章から単語を抜き出し、表形式で日本語の意味を付けてください。

Imagine you are a competent business professional, and you need to extract key information from a complex English report to make informed decisions. Let's learn how ChatGPT can assist you in this scenario.

A もちろん、指示通りに単語を抜き出し、表形式で日本語の意味を付けます。

英単語	日本語意味
Imagine	想像する、思い浮かべる
competent	有能な、適任の
business	ビジネス、事業
professional	プロフェッショナル、専門家
need	必要とする、必要性
extract	抽出する、取り出す
key	鍵、重要な、中心的な
information	情報、情報提供
complex	複雑な、複合の
English	英語
report	報告書、レポート
make	作る、行う、決定する
informed	情報を得た、知識のある
decisions	決定、意思決定
Let's	～しましょう、さあ

（後略）

学習レベルの英単語を使った例文を作成する

英単語の学習には、その単語がどのように使われているのかを学ぶことも大切です。そこで、ChatGPTに、自分の学習レベルに合った単語と、その単語を使った例文を日本語訳付きで生成してもらいましょう。語学学習レベルの指定には「CEFR(ヨーロッパ言語共通参照枠)」が有効です。「CEFR(レベル)の単語」のようにA1〜C2の6段階のレベルで指定します。

プロンプト

Q あなたは有能な英語教師です。CEFR A2の単語を使った例文を5個作成して、例文には日本語訳を付けてください。使った単語も示してください。

ポイント 学習レベルを指定する

A 1. Word: House (家)
•Sentence: I live in a small house near the park.
•日本語訳: 私は公園の近くの小さな家に住んでいます。

2. Word: Cook (料理をする)
•Sentence: My grandmother can cook delicious homemade pies.
•日本語訳: 私の祖母は美味しい手作りパイを作ることができます。

3. Word: Friend (友達)
•Sentence: I made a new friend at school today.
•日本語訳: 今日、学校で新しい友達を作りました。

4. Word: Visit (訪れる)
•Sentence: We plan to visit the zoo this weekend.
•日本語訳: 私たちは今週末、動物園を訪れる予定です。

5. Word: Read (読む)
•Sentence: I like to read adventure books in my free time.
•日本語訳: 暇な時間に冒険の本を読むのが好きです。

COLUMN

CEFRはヨーロッパで作成された言語能力に関する国際的な共通基準です。ChatGPTに学習レベルを伝えるには、TOEICや英検よりもCEFRが有効です。

語学レベルに合わせて英語で会話を楽しむ

プロンプト

Q 私はCEFR B1レベルの英語学習者です。あなたと私はとても仲のよい友だちです。私のことはMaiと呼んでください。あなたの名前はEmmaです。気軽なおしゃべりをしましょう。まずは、あなたから私に英語で話しかけてください。

A もちろん、Maiさん!気軽なおしゃべり、楽しみますよ。

So, Mai, have you been working on any interesting projects or hobbies lately?

ここがポイント

語学レベルを指定することで、自分に合ったレベルでの会話が楽しめます。また、関係性やシチュエーションを変更すれば、さまざまな立場の人との会話練習ができます。なお、ChatGPTが日本語で回答したら、こちらからは英語で話しかけます。

難しい綴りの英単語の覚え方を知る

プロンプト

Q あなたは有能な英語教師です。綴りを覚えにくい英単語の典型的な例と、その正しい綴りの覚え方を教えてください。

A 1. Wednesday(水曜日)

- "Wednesday" は発音と綴りが一致しない典型的な例です。この単語を覚えるために、"WED-nes-day" と発音すると、"nes" の部分に "d" の音が入っていることが分かりやすくなります。

2. February(2月)

- "February" の綴りは "r" の位置が覚えにくいかもしれません。この単語を覚えるために、"Feb-roo-ary" と発音し、"r" を強調することで、正しい位置に "r" があることを覚えることができます。

ここがポイント

綴りを覚えにくい英単語とその綴りの覚え方のヒントを生成してくれます。語学レベルを指定すれば、例示される単語をそのレベル内のものに絞り込むこともできます。

英文を添削してもらう

プロンプト

Q あなたは有能な英語教師です。以下の英文を添削して、添削した箇所を表形式にしてください。添削した理由も日本語で教えてください。

the invoice system begin in October 1. By this, small business player will be more difficult for business.

A

元の文章	修正後の文章	添削理由
the invoice system	The invoice system	文の冒頭は通常、文の最初の単語を大文字にします。
begin in October 1.	will begin on October 1.	動詞 "begin" の後に助動詞 "will" を追加して未来形に修正しました。
small business player	small business players	"player" を "players" に修正して、複数形にしました。

（後略）

ここがポイント

ChatGPTは文章の添削にも力を発揮します。添削した箇所とその理由も生成してくれます。ただし、「添削した理由を教えてください」と質問すると、添削理由も英語で表示される場合があります。そこで「日本語で」と明示することで添削理由が日本語で表示されます。

箇条書きから外国語の手紙を作成する

プロンプト

Q あなたは有能な翻訳者です。以下の箇条書きから、手紙の文章を英語で作成してください。

- 先週来社頂いたお礼
- 11月に新製品が発売される
- 新製品のご案内に伺いたい
- 10/2〜10/10で都合のいい日時を教えて
- 資料を同封するので確認して

ポイント：大ざっぱな箇条書きでよい

ここがポイント

相手に伝えたい項目を箇条書きで列挙するだけで、その内容をもとに手紙文を生成してくれます。たとえば、この例では箇条書きの内容から顧客宛の手紙が生成されます。

いろいろな条件で日本語に翻訳する

プロンプト

Q あなたは優秀な翻訳家です。ビートルズのYesterdayの歌詞を直訳ではなく、曲の雰囲気や意味を保ちつつ翻訳をしてください。

ポイント
意訳を指示した

A 昨日
すべての悩みが遠くに感じられた
しかし、今ではそれらがここにとどまるように見える
ああ、私は昨日を信じる

突然
かつての私の半分の人間ではなくなった
私の上に影がかかっている
ああ、昨日は突然やってきた

彼女はなぜ行かなければならなかったのか
私はわからない、彼女は言わなかった
私は何かを間違えた
今、私は昨日を懐かしく思う

（後略）

注目点❶
意訳なので原詩とは細部が若干異なる

注目点❷
原詩も出力されたが、すべて省略した

ここがポイント

英文の直訳だけではなく、翻訳の条件を指示すると、その条件に合わせた表現で翻訳してくれます。ただし、元の曲の歌詞をそのまま出力するよう指示しても、著作権の関係で出力されないことが多いようです。なお、ここでは回答に含まれる元の曲の歌詞は省略しました。

英文の内容を要約して、箇条書きにする

プロンプト

Q あなたは有能な翻訳者です。以下の英文の内容を要約して、その内容を簡潔な日本語の箇条書きにしてください。

（要約したい英文）

ポイント
「簡潔な箇条書き」とすることで文章が短くなる

ここがポイント

英文の要約内容を日本語の箇条書きで生成させると、素早く内容を把握できます。

覚えるべき不規則動詞を知る

ChatGPTは、優秀な教師としてさまざまなアドバイスも与えてくれます。たとえば、覚えておいたほうがよい不規則動詞を列挙させることも可能です。語学学習で感じた疑問点や勉強のコツなどもどんどん質問してみましょう。

プロンプト

Q あなたは有能な英語教師です。不規則動詞のうち、覚えておいたほうがよいものを、優先度の高い順に列挙してください。

A 英語学習者にとって、優先度の高い不規則動詞を覚えることは重要です。以下は、優先度の高い不規則動詞のリストです。これらの動詞は日常的に使用され、基本的なコミュニケーションに役立ちます。

be (am, is, are, was, were, been)
have (have, has, had)
do (do, does, did)
say (say, said)
go (go, goes, went, gone)
get (get, gets, got, gotten)
make (make, makes, made)
take (take, takes, took, taken)
come (come, comes, came, come)
see (see, sees, saw, seen)
know (know, knows, knew, known)
think (think, thinks, thought)
want (want, wants, wanted)
give (give, gives, gave, given)
tell (tell, tells, told)
find (find, finds, found)
ask (ask, asks, asked)
become (become, becomes, became, become)
leave (leave, leaves, left, left)
feel (feel, feels, felt)

> 注目点❶ 基本形、三人称単数、過去形、過去分詞が表示された

> 注目点❷ 過去形と過去分詞が同じ場合は、1つしか表示されていない

これらの不規則動詞は基本的な文法ルールに従わないため、覚えておくと英語のスキルを向上させるのに役立ちます。ただし、状況に応じてさらに多くの不規則動詞を学ぶことが必要かもしれません。

ビジネス英語で気をつけたい表現を知る

丁寧な表現をしているつもりが、かえって丁寧すぎて、相手には嫌みで誠意が感じられないと思われてしまうことがあります。そのような気をつけたい表現もChatGPTに教えてもらって、円滑なコミュニケーションを取れるようにしましょう。

プロンプト

Q ビジネス英語で慇懃無礼に聞こえるかもしれない表現を教えてください。その理由も教えてください。

A 1. "With all due respect"（敬意を表しますが）

・理由: この表現はしばしば直後に続く意見が批判的であることを示唆し、相手に敬意を持っているように見せかけつつ実際には攻撃的な意図を持っていると受け取られることがあります。このフレーズを使う代わりに、直接的に自分の立場や意見を表明することが好ましいです。

注目点❶ 理由の記述はかなり詳細だ

2. "With all due respect, you don't understand the situation."（敬意を表しますが、あなたは状況を理解していない。）

・理由: "With all due respect" の前に否定的な意見を述べることは、相手を攻撃的な言葉で攻撃しているように聞こえます。代わりに、"I think there might be some misunderstanding about the situation"（状況について誤解が生じているかもしれません）など、より建設的な表現を使うべきです。

注目点❷ 代わりの表現を提案してくれた

3. "Actually, that's not correct."（実際、それは正しくありません。）

・理由: "Actually" を使って相手の誤りを指摘することは、相手を否定的に扱っているように感じさせることがあります。代わりに、「I believe there might be a small mistake in that statement」（その発言には小さな誤りがあると思います）など、より優しく指摘する表現を選びましょう。

4. "I can't believe you don't know this."（あなたがこれを知らないなんて信じられない。）

・理由: この表現は相手を非常に無知であるかのように扱い、傲慢な印象を与えます。代わりに、「I'd be happy to explain this if you're not familiar with it」（これについて詳しく説明いたします。知らない場合は）など、より協力的で教育的なアプローチを取ることが適切です。

（後略）

質疑応答の練習をする

ChatGPTい英語での質疑応答の練習相手になってもらいましょう。どのようなテーマを扱うのかなどを箇条書きで記述します。対象者が決まっている場合には、それらも条件として記述すると、それに即したやりとりができます。なお、ChatGPTが日本語で質問を生成した場合には「英語で質問してください」と返せば、それ以降英語で質問してくれます。

プロンプト

Q 英語での質疑応答の練習相手になってください。
内容は以下のとおりです。英語で一問ずつ質問をしてください。私は一問ごとに回答します。

テーマ: 次期主力製品のプロモーションについて
対象: 米国支店　営業部員
提案内容: ユーザー拡大のための生成AIの活用について

ポイント
一問ずつという制限がないと、複数の質問がまとめて出力される

A もちろん、質疑応答の練習相手としてお手伝いします。以下は質問です:

How do you plan to implement AI for user acquisition in your next flagship product promotion, and what specific AI technologies or tools are you considering?

注目点
指示が反映されないこともある

Q We are considering ChatGPT and others.

A Great choice! Now, let's move on to the next question:
Can you elaborate on the benefits you expect to achieve by incorporating ChatGPT or similar AI technologies into your user acquisition strategy?

COLUMN

ChatGPTは基本的にこちらが質問した言語で回答が返ってきます。英語で回答して欲しいのに日本語で回答が返ってきた場合は「英語で」と投げかけてみましょう。

外国語学習のレベル分けを知る

P.87でも触れたように、ChatGPTに語学学習レベルを伝えるには「CEFR」が有効です。CEFRは、6つの主要なレベルで外国語スキルを評価します。自分の語学学習レベルを知っておけば、ChatGPTに的確な指示が与えられるので、効率的な語学学習ができます。まずは、CEFRのレベル分けを確認しておきましょう。

プロンプト

Q CEFRのレベル分けを説明してください。

A 以下にCEFRの各レベルの詳細を説明します:

1. A1 レベル(初級 - 初心者向け):
・基本的な日常会話ができる。
・簡単な質問に答えたり、基本的な情報を伝えたりできる。
・短い文章やフレーズを理解できる。

2. A2 レベル(初級 - 初級者向け):
・日常生活で基本的なコミュニケーションができる。
・簡単な会話や短い文章を理解し、簡単なトピックについて話せる。

3. B1 レベル(中級 - 中級初級):
・日常の状況でのコミュニケーションが可能。
・簡単なトピックに関する意見を述べ、基本的な議論ができる。
・簡単なテキストを理解し、自分の意見や経験を書くことができる。

4. B2 レベル(中級 - 中級上級):
・一般的なトピックについて深い理解と議論ができる。
・複雑なテキストを理解し、情報を要約できる。
自信を持って会話し、意見を表現できる。

5. C1 レベル(上級 - 上級):
・高度な議論ができ、専門的なトピックについても理解できる。
・高度なテキストを読み、複雑な文章を書くことができる。

6. C2 レベル(上級 - ネイティブスピーカーと同等):

(後略)

第5章

パソコン・スマホをChatGPTで便利に

YouTube動画のサムネイルを提案してもらう

YouTubeで多くの人に視聴してもらうには、キャッチーなサムネイルを作ることが不可欠です。このサムネイルをどのようにデザインすればよいかをChatGPTに相談すれば、さまざまな案を提示してくれます。この際のプロンプトには、動画のテーマを具体的に入力しましょう。より的確な提案がもらえて、イメージがしやすくなります。

プロンプト

Q あなたは一流のコンテンツクリエイターです。「ストレスを減らすと得られるメリット」というテーマのYouTube動画を制作します。ユーザーが視聴したくなるサムネイルのデザインを5つ提案してください。デザインは次の条件を満たしてください。

・興味を引くワードを入れたタイトル

・この動画がシリーズであることがひと目でわかる

ポイント
複数の案を出すように指示すると比較検討できる

A もちろん、ストレスを減らすメリットに焦点を当てたサムネイルのデザインを5つ提案します。すべてのデザインには興味を引くタイトルとシリーズの特徴が含まれています。

1. "ストレス解消の秘訣を大公開!"
シリーズ: "ストレス解消メソッドシリーズ"
サムネイル: 画面に笑顔の人が映り、背景にリラックスした場所(例:ビーチ、自然の風景)を表示。手前にストレス解消のシンボル(例:瞑想のシルエット、ヨガマット)を配置。

2. "ストレスフリーな生活のスタート!"
シリーズ: "ストレスフリーライフシリーズ"
サムネイル: カラフルな幸福感のあるイメージで、ハートや笑顔のアイコンを多く取り入れ、テキストで「新しい始まり」を強調。

3. "ストレスを撃退せよ!最新テクニック公開"
シリーズ: "ストレスバスターシリーズ"
サムネイル: 主人公のようなキャラクターがストレスの象徴(例:怒っているモンスター)と戦っているシーンを描き、テキストで「テクニック公開」と強調。

(後略)

注目点
気に入った回答について質問を続けると、具体的なデザインを固められる

怪しいメールを判定してもらう

プロンプト

Q 次のメールが届きました。迷惑メールか判別してください。

誰かがあなたのAmazonアカウントでほかのデバイスから購入しようとしました。Amazonの保護におけるセキュリティと整合性の問題により、セキュリティ上の理由からアカウントがロックされます。アカウントを引き続き使用するには、24時間前に情報を更新することをおすすめします。それ以外の場合、あなたのアカウントは永久ロックされます。

A このメールは、詐欺またはフィッシングの試みの可能性が非常に高いです。Amazonは通常、このような方法でアカウントの問題を通知しません。　（後略）

ここがポイント

大量のデータを学習したChatGPTは、迷惑メールの兆候を判別できます。判別するには、届いたメール全文を入力します。ただし、ChatGPTの判断は100%正確ではないので、あくまでも参考程度にし、疑わしいメールのリンクやファイルは開かないようにしましょう。

おすすめのアプリを探す

プロンプト

Q iPhoneで動画を編集したいと思っています。次のようなアプリを教えてください。

・SNSに投稿する動画を編集できるもの

・できるだけカンタンに使えるもの

A iPhoneで簡単に使えるSNS向けの動画編集アプリはいくつかあります。以下は、その中からいくつかおすすめのアプリです。

1. iMovie: iMovieはAppleが提供する公式の動画編集アプリで、使いやすく高品質な動画編集が可能です。　（後略）

ここがポイント

スマホアプリの中から目的に合ったものを見つけるのは大変です。ChatGPTならやりたいことを伝えるだけで簡単に見つけられます。ただし、最新情報に対応していないので、新しいアプリを探すならBing AIを使ったほうがいいでしょう。

関数の使い方を調べる

プロンプト

Q あなたはExcelのスペシャリストです。「メモリ」の価格を探すExcel関数とその説明を表示し、その関数の使い方を示してください。
###一覧表

商品名	価格
バッテリー	¥2,500
メモリ	¥15,000
SSD	¥9,800

ポイント 表はコピー&ペーストで貼り付ける

ここがポイント

Excelでやりたいことに対する関数がわからない場合は、ChatGPTにやりたいことを伝えれば、適切な関数を教えてくれます。

Excelでエラーの原因や解決方法を調べる

プロンプト

Q あなたはExcelのスペシャリストです。
VLOOKUP関数を使ってデータを検索した際に「#VALUE」と表示される原因、解決方法を教えてください。

A 1. 検索値が見つからない場合: VLOOKUPは指定された値を検索しますが、見つからない場合に「#VALUE!」エラーを表示します。この場合、エラーを避けるために、エラー処理を含むことが重要です。例えば、IFERROR関数を使用してエラーが発生した場合に代替の値を表示することができます。

=IFERROR(VLOOKUP(...), "Not Found")

2. テーブル配列が正しくない場合: VLOOKUP関数のテーブル配列引数は、検索値が含まれている範囲を指定する必要があります。テーブル配列が正しくない場合、エラーが発生します。テーブル配列が正確であることを確認してください。

(後略)

ここがポイント

Excelでエラーが起きた場合、使用した関数、エラーメッセージ、作業の目的などをプロンプトに入力すると、原因や対処方法をアドバイスしてくれます。一度で解決できない場合は、何度か質問を繰り返してエラーを潰していきます。

Excelでタスクを行うマクロを作成する

Excelで決められた一連の操作を自動で実行するマクロは非常に便利な機能です。しかし、マクロはVBAという言語で書かれており、プログラミングの知識のない人が作成するのは困難でしょう。ChatGPTなら、行いたい目的を具体的に記述するだけでマクロを作成してくれるので、プログラミングの知識がなくてもすぐにマクロを作成できます。

プロンプト

Q あなたはExcelのスペシャリストです。毎日報告する売上表で特定の項目(「販売数」や「総売上」)を自動的に集計するマクロを作成するための手順とVBAコードを作成してください。

> **ポイント** できるだけ具体的にやりたいことを記述する

A Excelで特定の項目を自動的に集計するためのVBAマクロを作成する手順とコードを提供します。この例では、売上データが入力されたシートがあり、特定の列(販売数と総売上)を集計するマクロを作成します。

手順:

1. Excelを開いて、売上データが含まれるワークブックを開きます。

2. マクロを格納する新しいモジュールを作成します。
   - Excelを開いた状態で「開発」タブを表示し、「Visual Basic」をクリックします。
   - 「挿入」メニューから「モジュール」を選択します。

> **注目点❶** マクロを作成する手順も教えてくれる

3. 新しいモジュール内に、以下のVBAコードを挿入します。

```
Sub 集計マクロ()
Dim 販売数合計 As Double
Dim 総売上合計 As Double
Dim 最終行 As Long
Dim 最終行 As Long
Dim シート As Worksheet

' 集計するシートの名前を指定します(必要に応じて変更してください)。
```

(後略)

> **注目点❷** 実際の画面では、コードはブロックになっているのでコピーしやすい

ユーザー定義関数を作成する

プロンプト

Q Excel VBAで、指定した範囲の中で値がマイナスになっているセルをカウントするユーザー定義関数を作ってください。

A Excel VBAで指定した範囲内でマイナスの値をカウントするユーザー定義関数を作成するには、以下の手順に従ってください。

1. Excelを開き、Alt + F11を押してVisual Basic for Applications (VBA) エディタを起動します。

（後略）

注目点
このあと、コードが出力される

ここがポイント

ユーザー定義関数とは、自分がよく行う処理や計算などを関数として登録できる自作の関数です。「指定した範囲の中で値がマイナスになっているセルをカウントする」といったように、目的をChatGPTに伝えれば、あっという間にユーザー定義関数が作れます。

正常に動作しないマクロを修正する

プロンプト

Q 次のマクロが正常に動作しません。問題点を説明し、マクロを修正してください。

ポイント
以下、修正させたいマクロのコード

```
Sub BrokenMacro()
    Dim i As Integer
    Dim ws As Worksheet

    ' アクティブなワークシートを設定
    Set ws = ThisWorkbook.ActiveSheet

    ' 1から10までのループ
    For i = 1 To 10
        ws.Cells(i, ""A"").Value = i
    Next i
```

（後略）

ここがポイント

作成したマクロが正常に動作しない場合、ChatGPTにコードを与えて修正を依頼すると、ChatGPTがデバッグして正しいコードを返してくれます。自分でデバッグ作業をするより、かなり早く問題が解決します。自作マクロのエラーに悩んでいる場合は使ってみましょう。

複雑な数式を解読してもらう

プロンプト

Q 次の数式は何をするものか解読してください。
=INDEX(A1:C10, MATCH(E1, A1:A10, 0), MATCH(F1, A1:C1, 0))

A この数式は、Excelの関数を使用しています。解読すると次のようになります:
`=INDEX(A1:C10, MATCH(E1, A1:A10, 0), MATCH(F1, A1:C1, 0))`
この数式は、指定したデータ範囲(A1からC10までのセル)から特定のセルの値を取得します。

(後略)

ここがポイント

ほかの人が作成したExcelファイルの数式がわからないときは、ChatGPTに数式をそのまま入力しましょう。ChatGPTは、数式の処理内容をわかりやすく説明してくれるので、何をしているかが理解しやすくなります。

長い数式を読みやすくしてもらう

プロンプト

Q 次の数式に改行やインデントを入れて読みやすくしてください。
=IF(AND(A1>0, B1>0), SUMPRODUCT(A2:A10, B2:B10)/SUM(B2:B10) + VLOOKUP(C1, D1:E10, 2, FALSE), IFERROR(1/(1+EXP(-F1)), ""Error"")) + SQRT(ABS(G1)) - LN(H1+1)

A 改行とインデントを追加して、数式を読みやすく整形します。

```
=IF(
    AND(A1 > 0, B1 > 0),
    SUMPRODUCT(A2:A10, B2:B10) /
```

(後略)

注目点
引数がはっきりわかるので理解しやすい

ここがポイント

Excelファイルに長くて複雑な数式が記述されていることがあります。このような数式はメンテナンス性が悪いため、ChatGPTにそのような数式を入力して「行やインデントをつけて読みやすくしてください」と指示します。これだけで簡単に整形してくれます。

Excelファイルの内容を分析してもらう

売上表などをChatGPTに分析させたい場合、「Advanced Data Analysis」という機能を使うと簡単に実行できるようになります。まず、該当のExcelファイルをアップロードし、プロンプトで「このファイルの内容の売上を解析してください」のように指示します。すると、ファイルを読み取り、指示どおりに分析が行われます。

プロンプト

Q （Excelファイルをアップロードする）
このファイルの内容について、平均、中央値、標準偏差をまとめて売り上げを解析してください。懸念点があればそれも教えてください。

ポイント
どのような分析を行うかを指定する

A 了解しました。まず、提供されたファイルの内容を確認しましょう。その後、売上の平均、中央値、標準偏差を計算いたします。

ファイルには、いくつかの都市（地名）ごとの月別の売上データが含まれています。また、各都市の上半期の売上合計も提供されています。

次に、各都市の上半期合計の平均、中央値、標準偏差を計算します。

上半期の売上合計に関して、以下の統計的な指標を得られました。

- 平均売上: 45,109,089 円
- 中央値: 44,440,010 円
- 標準偏差: 4,269,543 円

これらの指標から、上半期の売上は各都市間で比較的近い値になっていることがわかります。標準偏差が比較的小さいので、売上のばらつきはそれほど大きくないと言えるでしょう。

（後略）

COLUMN

「Advanced Data Analysis」（旧「Code Interpreter」）は、有料プランに加入すると利用できます。無料プランでは使えないので注意しましょう。

指示した内容のExcelファイルを生成する

プロンプト

Q 「東京」「大阪」「名古屋」「福岡」「札幌」のシートを含むExcelファイルを生成し、「支店別売上表」という名前で保存してください。

A Excelファイル「支店別売上表」を作成しました。「東京」「大阪」「名古屋」「福岡」「札幌」のシートを含んでいます。以下のリンクからダウンロードできます。

支店別売上表.xlsxをダウンロード

注目点
Excelファイルが作成された

ここがポイント

「Advanced Data Analysis」機能を使うと、指示した内容でExcelファイルを生成することも可能です。自分で作成するのは面倒なファイルなども、具体的な指示を与えれば、一発でファイルが生成できるので非常に便利です。

シートごとに別ファイルとして保存する

プロンプト

Q (Excelファイルをアップロードする)
このファイルをシートごとに分割して、別のExcelファイルとして保存してください。

A 了解しました。アップロードされたExcelファイルを読み込んで、各シートを別のExcelファイルとして保存します。少々お待ちください。

Excelファイルの各シートを別のExcelファイルとして保存しました。以下のリンクからダウンロードできます。

- 東京.xlsx
- 大阪.xlsx
- 名古屋.xlsx
- 福岡.xlsx
- 札幌.xlsx

注目点
リンクをクリックしてExcelファイルをダウンロード

ここがポイント

「Advanced Data Analysis」は、複数のシートを含むExcelファイルを個別のファイルに分割して保存することも可能です。該当ファイルをアップロードし、ファイルの分割と保存を指示すれば、すぐにシートごとのファイルが生成されます。

プレゼンのアウトラインを考えてもらう

プレゼンテーション資料を作成するときに頭を悩ませるのが構成です。これをChatGPTでサクッと作るには、立場を明確にし、プロンプトで盛り込みたい内容をできるだけ具体的に指示します。また、スライドの枚数、所要時間も追加すると、より的確な構成を作ることができます。

プロンプト

Q あなたは熟練の営業マンです。次の内容でプレゼンのアウトラインを作成してください。また、クライアントを飽きさせないポイントと各スライドの所要時間も教えてください。

・新製品(タブレット用のペンデバイス)の発表
・対象者は納品する小売業者
・スライドは5枚以内
・所要時間は15分以内

ポイント
発表内容と対象者を明記する

A 以下は、新製品(タブレット用のペンデバイス)の発表のアウトラインです。所要時間を15分以内に収め、クライアントを飽きさせないように簡潔かつ興味を引く形に構築しています。

プレゼンテーションのタイトル: タブレット用ペンデバイスの新製品発表

スライド1: イントロダクション(所要時間: 3分)
- タイトル: "新製品発表のご紹介"
- 自己紹介と会社紹介
- 新製品の意義と目的
- プレゼンテーションの概要

スライド2: 製品の特徴と利点(所要時間: 4分)
- タイトル: "新製品の特徴と利点"
- 製品の主要な特徴の紹介
- 顧客にもたらす利益と付加価値

注目点
指定した内容で各スライドが提案される

(後略)

COLUMN

各スライドの回答をもとにChatGPTへ相談すれば、スライドの内容も作成できます。より的確な内容にするには、質問を繰り返してブラッシュアップしていきましょう。

スライドをPDFで保存するマクロを作成する

プロンプト

Q PowerPointのスライドを自動でPDFに保存するマクロを作成してください。

A

```
Sub SaveSlidesAsPDF()
    Dim sld As Slide
    Dim outputPath As String

    ' 保存先のフォルダーパスを設定
    outputPath = "C:\Your\Output\Path\" ' フォルダーパスを適切に指定してください
```

（後略）

注目点
便利なマクロが一瞬で作成できた

ここがポイント

PowerPointのスライドを個別のPDFファイルとして保存するには、スライドごとにPDFへエクスポートしなければなりません。しかし、マクロを作れば一発で完了できるので、マクロをChatGPTに作成してもらうのが最も効率的な方法です。

ChatGPTの回答をWord文書として保存する

プロンプト

Q 創立30周年パーティーの案内状を作成し、それをWordファイル形式で出力してください。開催日時と場所は次のとおりです。
・日時: 2023年12月20日
・場所: 上野記念館3階宴会場

A 分かりました。以下の内容で案内状を作成いたします。

\---

創立30周年記念パーティー 案内状

拝啓、時下ますますのご清祥のこととお慶び申し上げます。
この度、我々の組織は創立から30周年を迎えることができました。（後略）

注目点
この下にWordファイルへのリンクが表示される

ここがポイント

「Advanced Data Analysis」機能を使うと、指定した内容の文書を作成し、Word形式などで出力することも可能になります。案内状のように、ある程度フォーマットが決まっている文書を作成する場合に利用すると非常に便利です。

Word文書を直接校正する

プロンプト

Q （Wordファイルをアップロードする）
このファイルの内容を校正してください。

A 了解しました。ファイルの内容を読み取り、必要な校正を行います。
内容を見ると、いくつか校正する点が見受けられます。一つ一つ修正してみましょう。
以下に、提案する校正点を示します。
1.
元の文:「自然な文を生成することが可能となってます。」
修正後:「自然な文を生成することが可能となっています。」
（後略）

ここがポイント

ChatGPTで校正する場合、毎回文章をコピペするのは面倒です。「Advanced Data Analysis」機能なら、該当ファイルをアップロードすれば、ファイルを直接校正できます。また、校正を反映したファイルを出力することも可能です。

ポイント
校正したい文章をWordファイルに書いておく

ファイルを翻訳してWord形式で保存する

プロンプト

Q （PDFファイルをアップロード）
このファイルを英語に翻訳し、Wordファイルで保存してください。

A 了解しました。まず、アップロードされたPDFファイルの内容を読み取り、それを日本語に翻訳します。翻訳が完了したら、その内容をWordファイルとして保存します。
（中略）
翻訳が完了しました。以下のリンクから日本語に翻訳されたWordファイルをダウンロードできます。

ChatGPT_Learning_Model_Japanese_Translation.docx

ここがポイント

外国語の論文やレポートをアップロードし、「翻訳してWordファイルで保存してください」と指示すると、日本語に翻訳された編集可能なファイルをすぐに生成できます。なお、このやりとりには「Advanced Data Analysis」機能が必要です。

注目点
リンクをクリックしてWordファイルをダウンロード

複雑なパスワードを生成する

プロンプト

Q アカウントを作成します。次の条件で複雑なパスワードを考えてください。
・英数字と記号を混在させる
・英字は大文字と小文字を混在させる
・使う記号は「!」と「=」のみにする
・15文字で作成する

A 複雑なパスワードを作成するために、以下の条件を満たすパスワードを考えます。
1. 英数字と記号を混在させる。
2. 英字は大文字と小文字を混在させる。
3. 使う記号は「!」と「=」のみにする。
4. 15文字で作成する。
ここで、ランダムに生成した例を示します:
Abcdefg1!=HijKlm

（後略）

ここがポイント

サービスや端末のアカウントには、第三者による不正利用を防ぐために、できるだけ複雑なパスワードの設定が必要です。しかし、自分で作るのはなかなか難しい作業ですので、チャットGPTにパスワードの条件を指示して生成してもらうのが、複雑なパスワードを作る最も簡単な方法です。

ポイント
使用する文字の条件を挙げる

QRコードを生成する

プロンプト

Q 次のURLのQRコードを作成してください。
https://tkj.jp

A

上記の画像は、指定されたURL "https://tkj.jp" のQRコードです。このQRコードをスキャンすることで、指定されたURLにアクセスすることができます。

ここがポイント

QRコードを生成するには、専用のアプリやWebサービスなどを使う必要がありました。しかし、「Advanced Data Analysis」機能を使えば、URLやメールアドレスを伝えるだけで簡単にQRコードを生成できます。

表示されたエラーの対処法を確認する

プロンプト

Q 使っているパソコンで次のメッセージが表示され、インターネットにつながらなくなりました。原因と対処法を教えてください。
・OS: Windows 11
・メッセージ: インターネットアクセスなし

A 1. ネットワーク接続の問題:
- Wi-Fiまたはイーサネットケーブルの接続を確認: パソコンが正しくネットワークに接続されていることを確認します。ケーブルが正しく接続されているか、Wi-Fiが正常に接続されているか確認します。
（後略）

ここがポイント

パソコンやスマホのトラブルシューティングにもChatGPTを活用できます。この場合、問題の内容、端末情報（OS）、表示中のメッセージなどをプロンプトに記述します。そのほかにも気になる点を伝えれば、より具体的な解決方法が提示されます。

ファイルの命名規則を提案してもらう

プロンプト

Q Webサイトで利用する画像が100枚程度あり、画像のカテゴリーは次のとおりです。この画像を整理するためのファイル命名規則を考えてください。
###カテゴリー
・商品画像
・店舗外観画像
・イメージイラスト

A 1. 商品画像:
- 商品名と製品番号またはIDを含むことが有用です。例えば、"product1234.jpg"や"product-name-123.jpg"のように命名できます。
（後略）

ここがポイント

複数人でファイルを管理する場合、ファイルの命名規則を決めておくと作業効率の向上につながります。ChatGPTにファイルの種類などの情報をプロンプトに記述すれば、その環境に合った命名規則を提案してもらえます。

SNS用のハッシュタグを考えてもらう

プロンプト

Q 海の向こうにある富士山の写真をInstagramに投稿したいと思います。バズりそうなハッシュタグを日本語と英語で考えてください。

A もちろんです!富士山の写真をInstagramに投稿する際に、バズりそうなハッシュタグをいくつか提案します。富士山の美しさや日本の景色に焦点を当てることが重要です。
1. #富士山 #MountFuji
2. #日本の風景 #JapaneseLandscape
（後略）

ここがポイント

SNSに投稿する場合、多くの人に見てもらうには適切なハッシュタグを付けることが重要です。バズるハッシュタグをChatGPTに考えてもらうには、利用するSNSと投稿する内容をプロンプトに詳細に記述しましょう。

スマホで契約中のサブスクを調べる

プロンプト

Q スマホで使っているアプリで、サブスクリプション契約がされているかどうかを調べる方法を教えてください。

A スマートフォンでサブスクリプション契約がされているかどうかを調べる方法は、iOS（iPhone）とAndroid（アンドロイド）のそれぞれに異なります。以下に、両方のプラットフォームでの方法を説明します。

iOS（iPhone）の場合:
1. 設定アプリを開く: ホーム画面で「設定」アプリをタップします。
2. Apple IDセクションにアクセス: 一番上に表示される Apple ID のセクションをタップします。
（後略）

ここがポイント

「サブスク契約がされているかどうかを調べたい」など、スマホに関する操作手順を知りたいときは、ChatGPTに知りたいことをできるだけ具体的に質問しましょう。使っている端末に合わせた操作手順をすぐに生成してくれます。

サイト構築に必要なコンテンツを検討する

Webサイトの構築には、コンテンツの検討が欠かせません。プロンプトにサイトの目的や特徴、取り扱う内容について入力すれば、その情報からサイトに必要なコンテンツを的確に提案してくれます。あとは、提案された各コンテンツについて相談すれば、コンテンツの詳細もブラッシュアップして決めていくことができます。

プロンプト

Q あなたはプロのWebデザイナーです。老舗そば屋がECサイトを作ることになりました。ショップの特徴や販売する商品は次のとおりです。集客に必要なコンテンツを教えてください。

###ショップの特徴
・創業80年
・信州産のそば粉を100%使用
・つゆ作りに1カ月をかける
###販売商品
・打ち立て蕎麦とめんつゆのセット
・打ち立て蕎麦
・伊豆産の生ワサビとおろし器のセット

ポイント
店舗の特徴や商品を列挙する

A 老舗そば屋のECサイトを作成する際に、集客に役立つコンテンツを以下に示します。これらのコンテンツは、お客様に店舗の特徴や商品について情報提供し、興味を引き、信頼感を高めるのに役立つでしょう。

1. ホームページ:
   - ホームページに老舗そば屋の創業80年の歴史を強調したバナーまたはセクションを配置し、伝統と信頼性をアピール。
   - グラフィックや写真を使用して、信州産のそば粉100%使用と1か月かけるつゆ作りの工程を視覚的に表現。

2. 商品ページ:
   - 各商品に詳細な説明を提供し、なぜそれが特別であるかを説明。 （後略）

COLUMN

複数のコンテンツが表示され、どれから手を付けたらいいかわからない場合は、「特に重要なものを教えてください」と質問しましょう。作業すべき優先順位を教えてくれます。

サイトに掲載する文章を作成する

プロンプト

Q あなたはプロのWebデザイナーです。老舗そば屋のECサイトを構築します。トップページに掲載するダミーのリード文を作成してください。トップページのイメージは次のとおりです。

- ・老舗そば屋の創業80年の歴史を強調したバナーまたはセクションを配置し、伝統と信頼性をアピール
- ・グラフィックや写真を使用して、信州産のそば粉100%使用と1カ月かけるつゆ作りの工程を視覚的に表現

A もちもちのそば、心温まる味わい、そして80年の歴史が語る伝統と信頼性。

当店、老舗そば屋は、創業80年を誇り、日本のそば文化を守り続けてきました。信州産のそば粉100%を厳選し、伝統的な製法で手間暇かけて作り上げるそばは、まさに日本の風土を感じる逸品です。

（後略）

ここがポイント

Webサイトに掲載する文章を作成するのも、ChatGPTが得意とする分野です。たとえば、ランディングページに掲載するリード文を書きたい場合、先に作成したコンテンツのイメージをChatGPTに伝えると、それに沿った文章を生成してくれます。

FAQの内容を考えてもらう

プロンプト

Q あなたはプロのWebデザイナーです。老舗そば屋のECサイトに掲載するFAQページを作成してください。ターゲットはミドル層です。このユーザーから想定される質問とそれに対する回答を考えてください。なお、次の質問内容は必ず含めてください。

- ・オンライン注文に関する操作手順について
- ・配達エリアについて
- ・アレルギーに関する問合せについて
- ・支払方法について

ポイント
必須の項目があれば挙げておく

ここがポイント

ECサイトのFAQページ作成では、想定される質問を箇条書きにしておけば、より具体的なFAQを作成できます。

コンテンツの一貫性をチェックする

プロンプト

Q あなたはプロの編集者です。次のブログ記事のトーンとスタイルが一貫しているかチェックしてください。

こんにちは、みなさん!今日は健康食品についてお話ししましょう。健康食品は本当に素晴らしい選択肢ですよね。ビタミン、ミネラルがたくさん!しかし、多くの人々が認識していないのは、これらの食品が高価であるという事実です。購入する前に、家計にどれだけの負担がかかるのかを熟考することが不可欠です。

ここがポイント

ブログ記事やサイトに掲載する文章のトーンやスタイルが一致していないと、ユーザーに違和感を与えてしまいます。そのため、記事を掲載する前に「トーンとスタイルが一貫しているかチェックしてください」とChatGPTに指示して、内容をチェックするのがおすすめです。

効果的なメタ情報を生成する

プロンプト

Q 次のブログ記事のメタタイトルとメタディスクリプションを生成してください。

健康食品市場は急成長しており、多くの人々がビタミン、ミネラル、抗酸化物質などを含むこれらの製品に魅了されています。しかし、一般的な食品と比べて高価な場合も多く、その費用対効果について疑問を持っている人も少なくありません。

A メタタイトル: 健康食品市場の真実:価格と効果のバランスを見極める方法

メタディスクリプション: 健康食品の魅力と価格について疑問を持つ方へ。 (後略)

ここがポイント

Googleの検索結果で、最初に目に入るタイトルや説明文をメタ情報といいます。この情報に説得力があれば、サイトやブログに顧客を誘導しやすくなります。メタ情報をChatGPTで生成するには、記事の内容を伝えてメタ情報の生成を指示します。

UIデザインのチェックリストを作成する

プロンプト

Q パソコン操作に慣れていない人でもわかりやすいログイン画面を作るためのUIデザインのチェックリストを表組みで作成してください。

A

チェック項目	説明
1.ロゴとタイトル	サイトまたはアプリのロゴとタイトルを表示し、ユーザーにどこにログインしようとしているのかを明確にします。
2.ユーザー名とパスワード	ユーザー名とパスワードの入力フィールドをわかりやすく配置し、ヒントテキストを提供して操作方法を示します。
3.パスワードの可視性	パスワードフィールドの隣に「パスワードを表示」ボタンを配置し、パスワードを可視化できるようにします。

（後略）

ここがポイント

サイトを構築する際、何に注意すべきかのチェックリストを作っておくといいでしょう。このリストを作る場合は、想定されるユーザー層と作成するサイトの内容を指示します。

ポイント
ユーザー層とサイト内容を記載

ユーザーシナリオを作成する

プロンプト

Q あなたはプロのUXデザイナーです。40代の主婦が健康食品のWebサイトで買い物をする場合のユーザーシナリオを作成してください。

A もちろん、40代の主婦が健康食品のウェブサイトで買い物をするユーザーシナリオを作成します。このシナリオでは、ユーザーのニーズや行動を考慮したユーザーエクスペリエンス（UX）デザインの要素を考えてみましょう。

シナリオ:
1. 田中美香はウェブブラウジング中に、友人から健康食品のオンラインストアを紹介されます。友人は品質と信頼性が高いことを強調しました。　（後略）

ここがポイント

ユーザーシナリオとはユーザー体験を可視化したもので、ユーザーのアクションを分析することにより、サイトのデザイン改善などに役立つものです。ChatGPTに製品やサービスの種類、ユーザー層を入力すると、ユーザーシナリオをすぐに作成できます。

より適切な数式に修正してもらう

プロンプト

Q 次の数式を確認し、より適切な関数があればそれを使ってシンプルにしてください。
=IF(AVERAGE(A1:A10) > 10,
AVERAGE(A1:A10), 0)

A この数式は、A1からA10までのセルの平均値が10より大きい場合はその平均値を返し、それ以外の場合は0を返すものです。これをより適切な関数を使用してシンプルにすることができます。以下は、より簡潔な方法です。

`=MAX(AVERAGE(A1:A10), 10)`

この数式では、まずA1からA10までのセルの平均値を計算し、その平均値と10の中で大きい方を返します。　（後略）

ここがポイント

複雑な数式はメンテナンス性が悪いだけではなく、意図しない計算ミスを誘発します。解読が難しい数式の場合、別の関数を使ってシンプルにするには、「より適切な関数を使ってシンプルにしてください」と指示し、数式を記述すれば的確な数式を提案してくれます。

注目点
関数をシンプルなものに書き換えてくれた

最適なグラフ種類を提案してもらう

プロンプト

Q 次のデータでグラフを作成する場合、どのグラフが最適か教えてください。
・データセット: 在庫データ
・データの構造: カテゴリー（製品タイプ）
・視覚化の目的: 時間経過による変化
・データのサイズ: 51～500行

A 1. 折れ線グラフ:
- データセットが時間に対して変化する場合、折れ線グラフは通常、優れた選択肢です。（後略）

ここがポイント

表をグラフにする場合、どのグラフ最適か迷うことがあります。このような場合、データセットやデータの構造、見せる目的などを伝えると適切なグラフの種類を提案してくれます。すでに表組みがある場合は、表を貼り付けるとより的確な回答が得られます。

第6章

困ったときにChatGPTに頼るには

アレルギーで注意すべきことを教えてもらう

アレルギー対策についてChatGPTに質問する場合、プロンプトにアレルギーの原因物質である「アレルゲン」を記述することが重要です。ひとりで複数のアレルギーを持っているケースもあるので、その場合はアレルゲンの書き漏らしがないように注意します。最初は全体的なことをたずねて、追加の質問で特定ジャンルの詳しい説明を求めるとわかりやすい回答が生成されます。

プロンプト

Q あなたはアレルギー外来の経験豊富な医師です。蕎麦アレルギーを持った甥が1泊2日で遊びに来ます。その際に注意すべきことを教えてください。

A 蕎麦アレルギーを持つ甥が遊びに来る際には、以下の注意事項を守ることが大切です。アレルギー外来の経験が豊富な医師として、以下のポイントをお伝えします。

1. 事前にアレルギー情報を確認:
甥の蕎麦アレルギーについて家族や両親から詳細な情報を入手し、アレルギーの症状や緊急時の対応方法を把握しておくことが重要です。

2. 家の中での食事準備:
甥の滞在中に蕎麦を含む料理を調理しないようにしましょう。調理器具やカトラリーも蕎麦の跡が残らないように十分に洗浄してください。

3. 食品ラベルの確認:
購入した食品や調味料、スナックなどのラベルを確認し、蕎麦の成分が含まれていないかどうかを確認してください。特に加工食品には注意が必要です。

4. アレルギー対応食品の準備:
甥が安心して食事を楽しめるよう、蕎麦アレルギーに対応した代替食品やスナックを用意しておくと良いでしょう。

（後略）

COLUMN

食べ物のアレルギーについてプロンプトを記述する際、対策は食べ物だけだという先入観は捨ててください。質問が不適切だと、意外な盲点に気づけない可能性が高まります。

注意すべき薬の飲み合わせを教えてもらう

プロンプト

Q あなたは豊富な知識のある薬剤師です。降圧薬と一緒に服用するのを避けたほうがよい薬を教えてください。併せて、避けたほうがいい食べ物や飲み物も教えてください。

A 避けたほうが良い薬物:
1. 非ステロイド性抗炎症薬(NSAIDs): これにはイブプロフェン(Advil、Motrin)やナプロキセン(Aleve)などが含まれます。NSAIDsは血圧を上昇させる可能性があるため、使用を制限または避けることが勧められます。
2. 一部の抗不整脈薬: 一部の抗不整脈薬は、降圧薬との相互作用があるため、医師の指示に従って服用する必要があります。 (後略)

ここがポイント

複数の薬の飲み合わせの可否は、薬剤の名称やおもな効能などをプロンプトに記述してChatGPTに質問します。ついでに、食べ物との組み合わせの可否も確認しておきましょう。ただし、最新の薬には対応していないことがあるので注意が必要です。

妊娠初期の家族がいる際の注意点を調べる

プロンプト

Q あなたは熟練の助産師です。妻が妊娠初期です。一緒に住む家族が注意したほうがよい行動を教えてください。また、積極的に摂るべき食事や避けたほうがよい食事も教えてください。

A 注意すべき行動:
1. タバコとアルコール: 喫煙やアルコール摂取は避けてください。これらは胎児に悪影響を及ぼす可能性があります。
2. ストレス管理: 妻のストレスを軽減するためにサポートし、リラクゼーション技巧やストレス軽減の活動を試してみましょう。
(後略)

ここがポイント

妊娠中の家族についての注意点をChatGPTに質問する場合、妊娠初期なのか安定期なのかといった時期をプロンプトに記述することが大切です。また、本人、夫、祖父母など、質問者の立場も併記するようにすると、それに応じた回答が得られます。

自分の子どもの予防接種について教えてもらう

医療情報についてChatGPTに質問する際に注意したいのは、ChatGPTからは最新情報を得られないことと、事実をそのまま整理して回答するのではないため、細部が誤っている可能性が高いことです。つまり、最新の正確な情報が欲しいなら、ChatGPTは使ってはいけません。文章生成AIを使いたいなら、せめてBing AIにしておきましょう。ここでは、Google検索する前の準備段階で、参考程度の知識を得る目的でChatGPTを使うことを想定しています。

子どもが受けるべき予防接種についての情報をChatGPTにたずねる場合、欲しい情報の区分を明確にプロンプトに記述します。一般的には、種類、時期、回数、間隔、必須か任意か、注意点、といった項目が挙げられます。最初から知りたいことをすべて網羅するのではなく、まず概要の説明を生成させてから、段階的に細部を確認する質問を重ねるほうが詳しい情報を得られることがあります。

プロンプト

Q あなたは経験豊富な保健所の職員です。子ども（乳幼児）に各種ワクチンを接種させますが、予防接種の種類と時期を説明してください。また、必須のものと任意のものの区別もお願いします。さらに、その際の親としての注意事項を教えてください。

A 子供（乳幼児）の予防接種は非常に重要です。以下に、必須のワクチンと任意のワクチン、それぞれの接種時期、および親としての注意事項を説明します。

必須のワクチン（一般的なスケジュールに基づいています）:

1. BCGワクチン（結核予防）: 生後すぐから2か月以内に接種。必要な場合、新生児の時に接種します。
2. ヒブ（Haemophilus influenzae type b）ワクチン: 2か月、4か月、6か月の頃に3回の投与が推奨されます。
3. DPT（ジフテリア、百日咳、破傷風）ワクチン: 2か月、4か月、6か月、18か月、4-6歳に接種します。
4. ポリオワクチン: 2か月、4か月、6か月、18か月、4-6歳に接種します。
5. 麻しん、おたふく風邪、風疹（MMR）ワクチン: 1歳と4歳の時に2回接種します。

任意のワクチン（一部地域や特別な状況でのみ必要な場合があります）:

1. A型肝炎ワクチン: 乳幼児には必須ではありませんが、感染リスクが高い場合には検討されます。

（後略）

常備薬を提案してもらう

プロンプト

Q あなたは経験豊富な薬剤師です。春から新しい土地で新生活が始まります。常備しておくべき薬品について教えてください。

A 1. 基本的な応急処置用品:
- 傷や小さな怪我に対応できる包帯、絆創膏、消毒薬
- 痛みや発熱時に使用する解熱剤(アセトアミノフェンやイブプロフェンなど)
- 消化不良や下痢の際に使用する胃薬や下剤

2. アレルギー対策:
- アレルギー症状に対応できる抗ヒスタミン薬
- 緊急時のアナフィラキシーキット(重度の食物アレルギーや昆虫刺咬アレルギーの場合)

(後略)

ここがポイント

自分に合った常備薬を知りたいときは、プロンプトに年齢や持病、体質、生活パターン、運動習慣などを記述します。

緊急状況の対応方法を調べる

プロンプト

Q あなたは有能な救急救命士です。親に熱中症みたいな症状が出ています。今すぐできる対処法を順に教えてください。

A 1. まず、安全な場所に移動させる: 被害者を直射日光や高温の環境から適切な場所に避難させます。涼しい場所や影に運びましょう。
2. 体温を下げる: 被害者の体温を下げることが重要です。濡れた冷たいタオルを顔や首、手首、足首に置いて体温を冷やしましょう。また、扇風機やエアコンを利用して涼しさを保ちます。
3. 水分補給: 水分を補給しましょう。 (後略)

ここがポイント

応急措置を解説するサイトは多数存在しますが、検索するよりもChatGPTに質問したほうが素早く情報を得ることができます。ただし、専門的な情報を集めたサイトと比べると、ChatGPTの情報の精度はかなり低いので注意しましょう。

保険が適用されない医療サービスを調べる

プロンプト

Q あなたは医療事務のスペシャリストです。歯の治療を受ける必要があります。日本の社会保険が適用されない歯科医の医療サービスについて教えてください。

A 1. 自己負担: 歯科治療費用は患者自身で負担する必要があります。自己負担額は治療内容や医療機関によって異なります。
2. 歯科保険: 一部の民間の歯科保険は、歯科治療費用の一部をカバーすることがあります。

（後略）

ここがポイント

自費診療では高額の出費を強いられることがあるので、事前にChatGPTで参考情報を確認しておきます。その際、プロンプトに診療科を記述することが大切です。また、可能ならば疾病や治療法の名称なども付け加えます。

筋トレのプランを考えてもらう

プロンプト

Q あなたはフィットネスジムの人気トレーナーです。体力が落ちてきているので、筋トレを始めたいと思っています。初心者でも自宅で簡単にできる筋トレのプランを考えてください。割ける時間は1日30分程度です。

A ウォームアップ(5分):
- 軽い有酸素運動(ジョギング、ジャンプロープ、階段の上り下りなど)で身体を温めます。

下半身の筋力トレーニング(10分):
1. スクワット(Squats): 足の幅を肩幅に広げ、両手を前に伸ばして立ちます。腰を軽く曲げ、お尻を後ろに突き出して膝を90度まで曲げ、元の位置に戻します。10回×3セット。

（後略）

ここがポイント

ChatGPTに初心者向けの筋トレのプランを質問する際に重要なのは「初心者」「簡単」といったキーワードのほかに、所要時間をプロンプトに記述することです。また、同じ30分でも、1回30分と朝晩15分ずつでは内容も違ってきます。

美容によいルーティンを提案してもらう

美容に関するアドバイスをChatGPTに質問する場合、プロンプトに目的を明記し、カバーしたい範囲などの条件も添えます。次に、実行者（ここでは自分）の年齢や性別、コンディションといった現状の情報も付け加えましょう。重点を置きたいポイントがあれば、それも記述します。回答内の不明瞭な点は、繰り返し質問して詳細な説明を要求してください。

プロンプト

Q あなたは自分自身が美魔女としても有名な美容の大家です。エイジングケアの一日のルーティンを提案してください。私の情報は次のとおりです。
・年齢: 50代
・性別: 女性
・最近の悩み: 肌がたるんできた

A もちろん、エイジングケアの一日のルーティンを提案いたします。肌がたるんできた50代の女性向けに、効果的なスキンケアとライフスタイルのアドバイスをご紹介します。美魔女を目指しましょう!

朝のスキンケアルーティン:
1. クレンジング: 朝は軽く顔を洗うだけで十分です。適切なクレンジング製品を使用し、過剰な皮脂や汚れを取り除きます。
2. 化粧水: 洗顔後、保湿力のある化粧水を使用して肌を整えます。パタッと叩くように塗布し、肌に吸収させます。
3. セラム: たるみ対策には、ヒアルロン酸やコラーゲンが含まれたセラムを使いましょう。特に顔のたるみが気になる部分に重点的に塗布します。
4. 日焼け止め: 朝のスキンケアの最後に、広範囲の紫外線から肌を守るため、SPF30以上の日焼け止めを塗ります。

日中の注意点:
1. 水分補給: こまめに水分を摂ることは肌のたるみ対策に重要です。特に温かい季節や屋外での活動中は水分補給を意識しましょう。

（後略）

COLUMN

体質によって使用できない、あるいは肌に合わないクリームや化粧水などのタイプがある場合は、その点も条件としてプロンプトに追記します。

旅行用の美容品・薬品チェックリストを作成する

プロンプト

Q あなたは経験豊富なツアーコンダクターです。モーリシャスに行きます。そこに持って行ったほうがよい美容品と薬品のチェックリストを作成してください。また、機内や滞在国に持ち込めない美容品と薬品のチェックリストも教えてください。

A 持って行くべき美容品と薬品:
1. 日焼け止め: モーリシャスは熱帯気候で、一年中日差しが強いため、SPF50以上の日焼け止めを持参することをお勧めします。
2. 虫よけスプレー: 熱帯地域では蚊が多いため、虫よけスプレーが必要です。 (後略)

ここがポイント

海外旅行の持ち物は、行き先によって気候や法律の規制に違いがあるので、プロンプトでは国名や地域名を記述します。ChatGPTの情報は古い可能性があるので、ここではBing AIなどを使います。

どんなメイクがいいかアドバイスをしてもらう

プロンプト

Q あなたはプロのメイクアップアーティストです。次の条件だと、どのようなメイクがよいかアドバイスしてください。
・季節: 冬
・シーン: クライアントとの会食
・肌の状態: やや敏感肌
・時間: 短い時間しかない
・技術レベル: 化粧はあまり得意ではない

A ステップ1: スキンケア(5分)
- まず、洗顔をして肌を清潔にし、敏感肌用の保湿クリームを塗りましょう。特に冬の乾燥から肌を守ることが大切です。

ステップ2: ベースメイク(5分) (後略)

ここがポイント

ChatGPTにメイクのアドバイスを生成してもらう場合は、自分の肌タイプやメイク技能のレベルといった前提条件をプロンプトに記述すると同時に、時期や場所、目的など、いわゆるTPOに関わる情報も追加してください。

美容によい食事のレシピを提案してもらう

プロンプト

Q あなたは管理栄養士と調理師の資格を持った経験豊富な料理研究家です。定期検診で血中のコレステロール値や中性脂肪値が高めという結果が出たので、これらを改善する食事のレシピを考えてください。

A 朝食: オートミールとベリーパフェ
- オートミールには食物繊維が豊富で、コレステロールを低減するのに役立ちます。ベリーは抗酸化物質も含んでいます。　（後略）

ここがポイント

美容や健康によいレシピを知りたい場合は、現状の問題点や改善の方向といった条件をプロンプトに記述します。ChatGPTの回答は欧米風の献立に偏りがちなので、趣向を変えたい場合は食材や味付けなどの条件も追加しましょう。

ダイエットプランを立ててもらう

プロンプト

Q あなたは幅広い知識を持った経験豊富なダイエットのカウンセラーです。3カ月以内に3kg体重を落としたいです。そのためのダイエットプランを考えてください。条件は次のとおりです。
・年齢: 40代
・性別: 男性

A 食事面:
1. バランスの取れた食事: 朝食、昼食、夕食をバランスの取れた食事にしましょう。タンパク質、炭水化物、脂肪、野菜、果物を含む食事が大切です。　（後略）

ここがポイント

ダイエットのプランは自分の現状と目指す目標をプロンプトに記述します。ただし、1カ月で10kg減のような極端な目標はダメです。また、食事または運動など、特に重点を置きたい分野があれば、それも書き加えてください。

COLUMN

中長期的な生活改善についてChatGPTにアドバイスを求める場合、最初の1回ですべてを終わらせるのではなく、実践しながら質問するなどして、計画の修正を検討してください。

職場の人間関係について相談する

職場の人間関係についての悩みをChatGPTに相談したい場合は、可能な範囲で気になる点をプロンプトに列挙します。ただし、悩みが漠然としているときは、そのことを正直に書きましょう。ここでは原因と対策の提示を求めていますが、単に愚痴を聞いてほしい場合は、プロンプトの書き方がかなり異なるので注意してください（P.131参照）。

プロンプト

Q あなたは有能な心理カウンセラーです。最近、職場の同僚からの風当たりが強いような気がします。推測される原因と、可能な対策を教えてください。

A 職場の同僚からの風当たりが強い状況は、さまざまな要因によるものかもしれません。以下に、可能性のある原因とそれに対する対策をいくつか示しますが、具体的な状況に応じて調整が必要です。

1. コミュニケーションの問題:
・原因: コミュニケーションの不足や誤解が不和の原因となることがあります。
・対策: 開かれたコミュニケーションを促進し、誤解を解くために対話を奨励しましょう。感情を共有し、聞き手として理解することが重要です。

2. 仕事の負担:
・原因: 高い仕事の負担やストレスが同僚の不機嫌さの原因となることがあります。
・対策: 仕事の負担を分散する方法を検討し、必要であれば上司や人事部門に相談して負担を軽減できるよう努力しましょう。

3. 対人関係の問題:
・原因: 同僚間の対人関係のトラブルが風当たりの強さにつながることがあります。
・対策: 対人関係を改善するために、コミュニケーショントレーニングやチームビルディング活動を導入することが役立つかもしれません。

4. プライベートな問題:
・原因: 個人的な問題やストレスが仕事に影響を及ぼすことがあります。
・対策: サポートを提供し、同僚がプライベートな問題に対処できるよう協力しましょう。必要であれば、専門家の助けを求めることを奨励します。

（後略）

他者の行動面の問題を相談する

プロンプト

Q あなたは有能な心理カウンセラーです。職場の新人君は、仕事の途中で別の用事が入ると混乱しやすく、スムーズにもとの仕事に戻れない傾向があります。また、デスクの上やカバンの中を片づけられないようです。これらのことから推測される原因と、対策を教えてください。

A 原因:
1. 適応困難: 新人君は職場環境や業務に慣れていない可能性があり、新しい情報やタスクに追いつくのが難しいことが混乱の原因となる可能性があります。
2. 注意力の不足: 仕事中に他の用事や物事に気を取られやすいため、集中力を維持できないことがあります。 （後略）

ここがポイント

他者の行動の問題の分析や改善の提案をChatGPTに求める場合、なるべく具体的な事例をプロンプトに記述します。可能ならば、複数の事例を列挙してください。

前向きな気持ちになれるアドバイスをしてもらう

プロンプト

Q あなたは有能な心理カウンセラーです。毎朝、目が覚めると会社に行きたくありません。前向きになれるアドバイスをお願いします。

A 1. 目標設定とビジョンの明確化: なぜ会社に行くのか、自身の職業目標やキャリアのビジョンを明確にしましょう。自身の成長や達成感に向けて働く目的が明確であれば、モチベーションが向上します。
2. 朝のルーティンの充実: 毎朝のルーティンを充実させ、日のスタートをポジティブにしましょう。健康的な朝食をとり、運動や瞑想などのリラックス法を取り入れることで、ストレスを軽減し、気分を高めます。 （後略）

ここがポイント

こうした問題をChatGPTに質問する目的は、具体的な問題の解決というよりも、自身の気持ちを改善することですので、その旨をプロンプトに記述します。ここでは「前向きになれるアドバイス」という部分が該当します。

表面的な症状からアドバイスをしてもらう

プロンプト

Q あなたは有能な心理カウンセラーです。このところ食欲不振だなと思っていたら、今度は円形脱毛症ができているのを見つけてしまいました。考えられる原因と、対処法をアドバイスしてください。

A 円形脱毛症の考えられる原因:
1. 自己免疫疾患: 自己免疫疾患により、免疫システムが誤って毛根を攻撃することがあります。
2. ストレス: 長期間のストレスや心の負担が円形脱毛症の原因になることがあります。
3. 栄養不足: 適切な栄養素を摂取しないことが、脱毛症のリスクを高めることがあります。
4. 感染症: 一部の感染症や細菌感染が円形脱毛症の原因となることがあります。 (後略)

ここがポイント

心身の不調はまず、表面に見えている具体的な症状をプロンプトに記述して質問します。なんとなく自分で原因を考えるよりも、明らかな症状からChatGPTに生成させたほうが確実だからです。また、改善するための方法を求めていることも、ハッキリと記述しましょう。

生活の質を改善するアドバイスをしてもらう

プロンプト

Q あなたは有能な心理カウンセラーです。最近、眠りが浅く、朝、なかなか起きられません。また、何をするのも億劫です。考えられる原因と、対策を教えてください。

A 原因:
1. ストレス: 日常生活や仕事、人間関係などのストレスが睡眠に悪影響を与えることがあります。
2. 不規則な生活習慣: 寝る時間や起きる時間が不規則であったり、寝る前にスクリーンを使ったり、カフェインを摂取することが睡眠の質を低下させることがあります。 (後略)

ここがポイント

病気というほどではない心身の不調は、生活の一部を少し変えるだけで改善されることがあるので、プロンプトに不快な現状を記述し、原因や対策の提示を求めます。もしも、うつ病などの兆候が気になる場合は、そのことも書き加えて質問してみましょう。

アルコール依存症の予防法をたずねる

アルコールなどの嗜好品の摂取量が増えてきたことに気づいたら、自己流で場当たり的な対応をするよりも、まずChatGPTに相談します。プロンプトには現在の摂取量や頻度、感じている欲求の度合いなどを記述します。また、その嗜好品を完全に断ちたいのか、ほどほどにうまく付き合っていきたいのかを考えて、対策のレベルも盛り込んでください。

プロンプト

Q あなたは有能な心理カウンセラーです。最近、夜にお酒を飲む回数と量が増えてきました。ランチ時でも、メニューにお酒の名前があると、つい頼みたくなりますが、今のところ頑張って我慢しています。このままでは近いうちにアルコール依存症になってしまいそうなので、実行が可能そうな予防法を教えてください。

A アルコールの乱用や依存症の予防に取り組むことは非常に重要です。以下はアルコール依存症を予防するための実行可能な方法です:

1. アルコールの摂取を制限する:
   - 自分のアルコール摂取量を記録し、飲酒の頻度と量を把握します。
   - ウィークリー・リミットを設定し、それを守るようにします。例えば、週に何回飲むか、一度に飲むアルコール量を制限します。

2. アルコールフリーの選択肢を探す:
   - ランチやディナーの際にアルコールが誘惑する場合、アルコールフリーの飲み物を選ぶことができます。ノンアルコールビールやアルコールフリーカクテルなどが選択肢としてあります。

3. アルコールの誘惑を避ける:
   - アルコールを避けるために自宅からアルコールを取り除き、お酒の誘惑を減らします。

（後略）

COLUMN

「認知行動療法」など依存症改善に有効といわれる手法があります。そうした手法の種類や概要を知りたい場合は、続けてプロンプトに記述して質問してみてください。

自殺を防止するためにできることを教えてもらう

プロンプト

Q あなたは有能な心理カウンセラーです。月曜日の朝は、電車に飛び込んで亡くなる人が多いようです。発作的に自分がそんな気持ちにならないように、普段からできることを教えてください。

A 1. ストレス管理: 週末や休暇の最後に、次の週の仕事に備えることができるリラックス法を試しましょう。深呼吸、瞑想、ヨガ、散歩などの方法がストレスを軽減します。
2. 日曜の準備: 週明けの朝に備えて、日曜日の夜に準備を行います。服装や食事を用意し、仕事に必要なものを前もって整えることで、朝の準備がスムーズに行えます。

（後略）

ここがポイント

ここでは実際に自殺願望がある状況ではなく、「もしもそんな気持ちになったらイヤだな」という不安感を抱いているという前提で、予防的な対策を求めるためのプロンプトを記述しています。すでに自殺願望を抱いている場合は、質問のしかたがかなり変わります。

診断名から症状を説明してもらう

プロンプト

Q あなたは有能な心理カウンセラーです。「うつ病」の初期症状には、どのようなものがありますか。具体例をまじえて説明してください。

A 1. 気分の低下: うつ病の初期段階では、持続的な気分の低下が見られます。悲しみや無気力感が普段の生活に影響を与えます。例えば、以前楽しんでいたことに興味が持てなくなります。
2. エネルギーの低下: 普段の活動に対するエネルギーが不足し、疲労感が増加します。朝起きるのが難しくなり、日中も常に疲れているように感じます。

（後略）

ここがポイント

ここで紹介しているのは、思い当たる病名などがある場合のプロンプトです。「うつ病」の部分に「自律神経失調症」や「パニック障害」など、症状を知りたい病名や診断名などを記述します。回答が自分に当てはまらない場合は、類似の病名に関して同様に質問します。

過食症の傾向と対策を相談する

過食に関してChatGPTに相談するときは、プロンプトに「どの程度なのか」ということを記述しておくほうがいいでしょう。客観的に振り返ることができる場合は、頻度や量について具体的に書くことが有効です。また、体重の増加傾向があるならそれについても添えておきます。もしも食べたあとに吐くことが多いなら、忘れずに書き加えてください。

プロンプト

Q あなたは有能な心理カウンセラーです。お腹が空いていないのに、ついつい食べてしまいます。どうしたらいいでしょうか。

A 食べたくなる気持ちは、心の中にさまざまな要因が影響していることがあります。無理な食事制限や過度な食べ物への欲求は、心理的な問題やストレス、感情的な要因に関連していることがあります。以下は、この状況に対処するのに役立ついくつかのアドバイスです:

1. 意識的な食事: 食べたくなると感じたら、まず自分に質問してみてください。本当にお腹が空いているのか、それとも感情的な食事を求めているのかを考えてみましょう。食べ物を選ぶ前に、自分の感情や欲求をよく理解しましょう。

2. 感情の管理: 食べ物への欲求が感情に関連している場合、感情を管理する方法を見つけることが大切です。ストレス、不安、寂しさ、退屈など、さまざまな感情が食事への欲求につながることがあります。感情を抱えたときに、代替手段を探してみましょう。例えば、散歩をする、深呼吸をする、友達や家族と話すなどです。

3. 食事の予定を立てる: 食事を計画的に行うことで、無駄な食事を減らすことができます。定期的な食事や軽食を摂ることで、お腹が空いたときに健康的な選択をしやすくなります。

4. 心の声を聞く: 食べ物を選ぶとき、自分の体が何を必要としているかを聞いてみてください。健康的な選択をすることで、無駄なカロリーを摂ることを減らすことができます。

5. サポートを受ける: 食べ物への欲求をコントロールするのは難しい場合、心理カウンセラーに相談することを検討してみてください。

（後略）

ペットとメンタルの関係についてたずねる

メンタルヘルスのためにペットを飼うことを検討している場合、そのメリットとデメリットを事前に知る必要があるので、最初にプロンプトに記述します。次に、飼いたい動物が決まっていない場合は、ChatGPTに候補を列挙するようにプロンプトで指示します。もしも飼いたい動物が決まっている場合は、その動物の特性や飼育方法などをたずねます。

プロンプト

Q あなたは経験豊富な心理カウンセラーです。心の安定のために、ペットを飼うことを検討しています。ペットを飼うこと自体のメリット・デメリットや、おすすめの動物の種類などを教えてください。

A ペットを飼うことは、心の安定や幸福感を高めることがありますが、同時に責任や労力も伴います。以下に、ペットを飼うことのメリットとデメリット、おすすめの動物の種類について説明します。

ペットを飼うメリット:
1. ストレス軽減: ペットは癒しを提供し、ストレスを軽減するのに役立ちます。彼らと過ごす時間は、リラックスや幸福感をもたらすことがあります。
2. 孤独感の軽減: 一人暮らしや孤独感を感じる場合、ペットは忠実な仲間となり、孤独感を軽減することがあります。
3. 運動やアクティビティ: ペットを飼うことで、散歩や遊びなどのアクティビティを共に楽しむことができ、運動不足を解消するのに役立ちます。
4. 責任感の向上: ペットの世話をすることは責任感を高め、日常生活に構造を持たせる手助けとなります。

ペットを飼うデメリット:
1. 費用: ペットを飼うには餌、医療費、おもちゃ、ケージなどの費用がかかります。予算を考慮する必要があります。
2. 時間と労力: ペットは定期的な世話と注意を必要とします。長期間の留守中は預ける必要があるかもしれません。
3. アレルギー: ペットアレルギーを持っている場合、アレルギー反応が出る可能性があります。
4. 生涯の責任: ペットはその生涯にわたり、世話をする責任があります。飼い主が変わらないことを期待されます。

（後略）

ChatGPTに愚痴を聞いてもらう

プロンプト

Q あなたは親しい友人として、私の愚痴を聞いてください。私の置かれた立場や気持ちにシンパシーの情を表現して、私を元気づけてください。問題解決のための具体的な行動などは提案しないでください。では、始めます。

配偶者が私の家庭内での家事や育児、そのほかの雑事について、まったく貢献度が足りないといいます。そこそこやっているつもりですし、同僚と話すと私のほうがよほどやっていると思います。もう、いいかげん、イヤになってしまいます。

A もちろん、あなたの気持ちを聞いてあげます。それは本当に大変なことだと思います。（後略）

ここがポイント

特に前提条件を指定しないでChatGPTに愚痴を投げかけると、ありきたりな解決方法などの提案を返されてしまうことがあります。それを避けるために、最初のプロンプトの冒頭で回答する際の立場や姿勢、内容の方向性などを限定する指示を盛り込みます。

スマホ依存の傾向と対策について教えてもらう

プロンプト

Q あなたは有能な心理カウンセラーです。実際には鳴っていないのに、しょっちゅうスマホの通知音が聞こえるような気がします。これは一種の依存症でしょうか。また、有効な対策を提示してください。

A スマートフォンの通知音に対する過度の注意や不安感を経験することは、一種の依存症や問題行動とみなされることがあります。これは一般的に「スマートフォン依存症」または「スマホ依存症」と呼ばれ、精神的な健康に影響を及ぼすことがあります。（後略）

ここがポイント

スマホの使いすぎが気になる場合は、具体的な症状をプロンプトに記述します。例のほかに「用事があるのにSNSや動画を見続けてしまう」とか「ニュースやトレンドが気になって画面を消灯できない」のように、自分で気づく限りの症状を盛り込みます。

心理的なアプローチの方法を知る

ここではメンタルヘルス全般に関わる心理学的アプローチを列挙させるプロンプトの記述になっています。特定のジャンルに対応する情報が知りたい場合は、「アルコール依存症の克服に有効な」とか「不安症の改善のために役立つ」のように、目的を限定する記述をプロンプトに盛り込みます。

プロンプト

Q あなたは有能な心理カウンセラーです。メンタルヘルスの維持や回復、依存症への対処などに使われる、代表的な心理学的アプローチの種類と概要を列挙してください。

A 以下は代表的な心理学的アプローチの種類とその概要です。これらのアプローチはメンタルヘルスの維持や回復、依存症への対処などに幅広く使用されます。

1. 認知行動療法(Cognitive-Behavioral Therapy, CBT)
   - 概要: CBTは思考と行動の相互作用を重視し、不健康な思考パターンや行動を変えることを通じて問題を解決しようとするアプローチです。クライアントは自己観察し、認識し、変更するスキルを獲得します。

2. 精神分析療法(Psychoanalytic Therapy)
   - 概要: 精神分析療法はフロイトによって開発されました。クライアントの無意識の欲望や過去の経験に焦点を当て、洞察を得ることを通じて問題を理解し、解決しようとします。

3. 人間性心理学(Humanistic Psychology)
   - 概要: 人間性心理学はクライアントの自己実現を強調し、個体の成長と自己啓発に焦点を当てます。クライアントは自己理解と自己受容を追求し、個人的な成長を促進します。

4. 行動療法 (Behavior Therapy)
   - 概要: 行動療法は望ましくない行動を変え、健康的な行動を増やすことを目的とします。

（後略）

COLUMN

ChatGPTが回答を生成した複数の心理学的アプローチの中で気になるものがあったら、次のプロンプトでその名称を指定して、より詳しい内容の説明を質問してください。

心の平穏を維持する方法をたずねる

プロンプト

Q あなたは有能な心理カウンセラーです。心の平穏を維持するために、日々の暮らしの中で実践できることを、いくつか紹介してください。

A 1. 瞑想や深呼吸の練習: 瞑想や深呼吸は、ストレスを軽減し、心の平穏を促進するのに効果的です。毎日少なくとも数分間、静かな場所で瞑想を行うか、深呼吸をすることを試してみましょう。

2. 運動: 適度な運動は、ストレスホルモンの減少や幸福感の向上に役立ちます。毎日の散歩、ヨガ、ジョギングなど、好きな運動を取り入れてみましょう。

3. バランスの取れた食事: 栄養豊富な食事を摂ることは、心の平穏を保つのに役立ちます。　（後略）

ここがポイント

ここではメンタルの安定を図る方法を質問していますが、プロンプトの記述を変更して、元気ややる気が出るルーチン、衝動的に怒らないための方法などを求めてもいいでしょう。

朝日とメンタルヘルスについて教えてもらう

プロンプト

Q 朝の太陽の光とメンタルヘルスの関係についての説を紹介してください。

A 1. 季節性情動障害(Seasonal Affective Disorder, SAD): 朝の太陽の光がメンタルヘルスに与える影響は、季節性情動障害（季節性うつ病）との関連で特に明らかです。冬季に日照時間が短くなる地域では、光不足がSADの症状を引き起こす可能性が高まります。逆に、夏季には太陽の明るい光が気分を改善する要因となります。

（後略）

ここがポイント

ここでは一般的な知識をたずねているので、プロンプトで「優秀な◯◯」のような職業の指定は不要です。朝日のメリットの代わりに、夜の室内照明についてのアドバイスや、ブルーライトの弊害についての情報の紹介を求めるプロンプトなどにも応用できます。

泣いている赤ちゃんへの対応を教えてもらう

赤ちゃんが泣いている原因はいろいろ考えられるので、ChatGPTに質問しても正解を期待できません。そこで、プロンプトでは複数のものを列挙することと、可能性の高い順に提示することを要求します。そして、回答の内容を1つずつ順にチェックしていくと、正解を得るまでにかかる時間が短かくなるでしょう。

プロンプト

Q あなたは熟練のベビーシッターです。生後6カ月の赤ちゃんの母親が買い物に出かけている間の留守番をしていますが、赤ちゃんが泣き始めました。推測される原因と、その対応について、可能性が高い順に列挙してください。

A 赤ちゃんが泣き始める理由はさまざまですが、以下に可能性が高い順にいくつかの原因と対応策を示します。ただし、これらは一般的なガイドラインであり、具体的な状況に応じて対応を調整することが重要です。

1. お腹が空いている場合:
   - 赤ちゃんの泣き声が急に大きくなり、手を口に持っていたり、唇をペクペクさせていることがあります。
   - 対応策:授乳またはミルクの用意をし、赤ちゃんに食事を与えてみてください。食欲がある可能性が高いです。

2. おむつが汚れている場合:
   - 赤ちゃんは激しく泣いたり、不快そうな表情をすることがあります。
   - 対応策:おむつをチェックし、必要であればおむつを交換してください。

3. 眠たい場合:
   - 赤ちゃんはふて寝をしようとせず、むずがることがあります。
   - 対応策:赤ちゃんを優しく揺らしてみたり、寝かしつけの準備を始めてみてください。部屋を暗くして、静かにしてあげることも役立つことがあります。

4. 不快な服装または環境:
   - 赤ちゃんの服がきつい、暑い、寒い、またはかゆいことがあります。
   - 対応策:赤ちゃんの服装を確認し、適切に調整してあげてください。また、部屋の温度を調整し、快適な環境を提供してください。

（後略）

舅や姑とうまくやるアドバイスをしてもらう

プロンプト

Q あなたは百戦錬磨の肝っ玉母さんです。祖父母の古くて間違った育児知識を上手にかわしながら、現代的な育児を進めるにはどうしたらよいか、アドバイスしてください。

A 1. コミュニケーション: 祖父母に対して、彼らの育児経験や知識を尊重し、感謝の気持ちを伝えましょう。同時に、現代の育児に関する情報や科学的な知識を共有し、双方からの提案を尊重するよう努力しましょう。
2. 最新の情報を共有: 現代の育児方法や研究成果を共有して、祖父母に新しい情報を提供しましょう。
（後略）

ここがポイント

このプロンプトの目的は現代的な育児を進めることですが、子どもの祖父母に当たる親族と円満な関係を築くことが第2の目標になっています。けっして祖父母の意見を否定し、育児で勝利することではないので、その点をふまえてプロンプトを記述しましょう。

子どもの症状から病名を推測する

プロンプト

Q あなたは有能な小児科医です。1歳半の子どもに少し前から発熱があり、熱が下がってきたら、今度は体に小さな赤い発疹が見られます。これらの症状から、推測される病名をいくつかあげて、概要を説明してください。

A 1. 風疹(Rubella): 風疹は発熱と発疹を伴うウイルス感染症です。通常、発熱が数日から1週間続いた後に、顔から始まり体全体に広がる赤い発疹が現れます。風疹ワクチンによる予防が可能です。
2. 麻疹(Measles): 麻疹は高度に伝染性のウイルス感染症で、発熱、咳、鼻水、光点状の発疹などが特徴です。
（後略）

ここがポイント

病気の原因や病名などを推測したい場合は、症状をよく観察して、なるべく具体的にプロンプトに記述することが重要です。可能ならば正確な体温を計り、時間経過による変化なども追加します。また、咳や嘔吐、下痢といった症状があれば、それも添えておきます。

育児中の妻をねぎらう方法を教えてもらう

ここでの目標は妻をねぎらうことであり、そのための言葉や行動の指針についてのアドバイスが欲しいので、その点をプロンプトに記述します。また、避けるべき言動についても、ChatGPTに例示を依頼しましょう。さらに具体的な内容が知りたい場合は、回答中の小見出しを指定して詳細な説明をリクエストします。

プロンプト

Q あなたは経験豊富な心理カウンセラーです。仕事と家事と育児に忙殺される妻をねぎらうために、夫がかけるべき言葉や、とるべき行動などの例を教えてください。また、NGな言葉や行動も挙げてください。

A 妻をねぎらうために、夫が言葉や行動で示すことができるいくつかのポジティブなアプローチがあります。ただし、個人の好みや関係によって異なることがあるため、ここに挙げるアイデアは一般的なものです。夫妻関係のコミュニケーションが重要であることを忘れないようにしてください。

ポジティブなアプローチ:

1. 感謝の表現: 奥さんがしていることに感謝の意を示すことは大切です。例えば、「いつも家事を頑張ってくれてありがとう」と伝えることができます。

2. 共感と理解: 妻の感情やストレスに共感し、理解を示すことが重要です。彼女の話に耳を傾け、彼女の立場に立って考えることが大切です。

3. 協力: 家事や育児に協力する姿勢を見せることが大切です。一緒にタスクを分担し、共同で問題を解決することができます。

4. 休息を提供する: 奥さんに休息を取る時間を与えることが大切です。子供の世話を引き受けたり、家事を手伝ったりすることで、彼女がリラックスできる環境を提供しましょう。

5. プライベートな時間: 仕事や育児から離れ、夫妻でプライベートな時間を楽しむことも大切です。デートの計画を立てるなど、関係を深める時間を持ちましょう。

NGなアプローチ:

（後略）

読み聞かせ用の物語の提供を依頼する

プロンプト

Q あなたは有能なベビーシッターです。3歳の子どもが喜ぶ読み聞かせ用の物語を教えてください。既存の名作でもオリジナルでもかまいません。そのまま3歳の子どもに読み聞かせることが可能な形式での提供をお願いします。タイトルや粗筋の紹介ではありません。長さは子どもが寝る前のひとときを楽しむために十分なものとします。冒頭から結末までを網羅してください。

A タイトル: "ふしぎなおともだち"
昔々、ある小さな森の中に、リトル・ベアという小さな熊が住んでいました。ある日、彼は森の中で一匹の小さな光る虫を見つけました。その虫はピンク色で、ちょっとぼんやりしているようでしたが、とっても可愛らしかったので、リトル・ベアは友達になることを決めました。
（後略）

ここがポイント

物語の提供依頼では、なるべく詳細に条件を記述します。ここではそのまま読み聞かせに使えるものを指定しています。生成される作品は短いものになりがちなので、長編を希望する場合は、プロンプトで複数の回答に分割するように指示します。

苦手な食材を克服するレシピを教えてもらう

プロンプト

Q あなたは経験豊富な食育アドバイザーです。うちの子どもはピーマンとブロッコリーが苦手で食べてくれません。食べてもらえるような献立を考えてください。

A 1. クリーミーなブロッコリースープ
ブロッコリーをクリーミーなスープにしてみてはいかがでしょうか?子供が野菜を食べやすくなります。材料と手順は以下の通りです。
（後略）

ここがポイント

子どもの好き嫌いを改善するメニューの依頼は、プロンプトに苦手な食材名を記述します。ここではピーマンとブロッコリーですが、希望に応じて置き換えてください。また、和食や中華など料理の方向性に希望がある場合はそれも追記します。

子どもの発達の段階を確認する

プロンプト

Q あなたは児童の発達に詳しい臨床心理士です。3歳6カ月の子どものコミュニケーション能力に不安があります。この月齢の平均的なコミュニケーション能力について説明してください。

A 1. 言語発達: 3歳6カ月の子供は、言葉の理解と表現が進んでいることが一般的です。平均的には、簡単な質問に答えたり、物事を指し示したり、単語や短い文を組み立てたりできます。一部の子供はもう少し進んでおり、より複雑な文を理解したり、話したりすることができるかもしれません。
2. 語彙の拡充: この年齢では、子供の語彙が急速に増加することがあります。一般的には、数百から数千の単語を理解し、使用できるようになります。

（後略）

ここがポイント

子どもの成長度合いが気になる場合、ChatGPTに発達段階の平均データを生成させます。その際、プロンプトに月齢を記述し、ジャンルを絞って質問することが大切です。ここではコミュニケーション能力ですが、たとえば言語能力や運動能力などでもOKです。

小1クライシスの防止方法を質問する

プロンプト

Q あなたは経験豊富なスクールカウンセラーです。子どもが小学校に入学した直後（おもに1学期の間）に、問題になりがちなことをいくつか挙げて、その対策や事前に準備できることを説明してください。

A 1. 分離不安: 小学校に入学すると、親から離れる時間が増えることがあり、分離不安が発生することがあります。対策としては、入学前に親子で学校を訪れて環境を知り、親が子供に安心感を与えることが大切です。

（後略）

ここがポイント

ここでは就学直後の小学校への適応についてたずねるので、プロンプトで時期を記述し、予想される問題と対策の生成を指示します。必要に応じて、ゴールデンウイーク明けや夏休み明けなどに時期を変更して質問してもかまいません。

苦手な学習課題の上手な教え方をたずねる

学習課題につまずきがある場合は、学齢と科目と具体的な内容をプロンプトに記述します。ここでは小2で、算数の、繰り上がりと繰り下がりのある計算について相談しています。そして目標としては、意味の理解と計算問題が解けるようになることを設定しています。また、道具の使用についての条件も追加しています。

プロンプト

Q あなたは有能な算数の教師です。小学校2年生の子どもがいるのですが、繰り上がりのある足し算や、繰り下がりのある引き算が苦手なようです。繰り上がりや繰り下がりの意味を理解させ、実際に計算問題を解けるようにするためによい方法を教えてください。身近にある物を使ったり、簡単な道具を自作したりしてもかまいません。

A 繰り上がりや繰り下がりの概念を理解させ、小学校2年生の子供が計算問題を解けるようにするために、いくつかの方法を試してみることができます。以下にいくつかのアイデアを示します。

1. 物理的なモデルを使う: 繰り上がりと繰り下がりの概念を理解させるために、十進法の数値を表すための物理的なモデルを作成できます。10個のユニットブロック（ビーズ、コイン、レゴブロックなど）を使って、具体的な数値を表現し、足し算と引き算を行うことができます。例えば、11＋9を計算する場合、11個のユニットブロックを配置し、1つの十のブロックに繰り上げてみせることができます。

2. ゲームを活用する: 数学の概念をゲームに取り入れることは、子供たちに楽しみながら学ばせる方法です。繰り上がりや繰り下がりのゲームを考案して、子供にプレイさせることで、概念を理解しやすくすることができます。

3. ストーリーを使う: 繰り上がりと繰り下がりの概念を理解させるために、物語やストーリーを使って説明することができます。例えば、キャラクターがリンゴを集めるゲームで、10個のリンゴを集めるとバスケットに入れて繰り上がり、逆に1つのリンゴを取り出すとバスケットから繰り下がるといったストーリーを考えることができます。

（後略）

COLUMN

ここでは典型的な問題として算数の計算問題を取り上げていますが、たとえば九九の暗記や漢字の書き取りなど、ほかの科目や課題についても、同様に質問できます。

実技科目の苦手を改善する方法を説明してもらう

プロンプト

Q あなたは有能な美術教師です。図画工作の時間に景色や人物を写生する際、バランスよく配置するのが苦手です。これを改善または克服する方法を教えてください。小学生にわかるようにお願いします。

A 1. 前景と背景: 子供に、絵の中に前景(近くの要素)と背景(遠くの要素)を意識的に配置することを教えましょう。前景に近い要素を大きく描き、背景に遠い要素を小さく描くことで奥行き感が生まれます。
2. 構図のルール: 一般的な構図のルールを説明し、例を示してみてください。 (後略)

ここがポイント

実技科目の苦手を克服する方法を生成させるには、プロンプトに科目名を記述し、取り上げる課題の内容と、達成したい目標のレベルを指示します。必要ならば、回答の表現の対象年齢なども指定します。ここでは図工ですが、体育や音楽などにも応用できます。

ちょっとした困りごとの解決方法をたずねる

プロンプト

Q あなたは経験豊富なスクールカウンセラーです。小学2年生の我が子が、学校の連絡のプリントを親に渡してくれません。学校行事や持ち物などがわからなくて困ることも多いので、スムーズに受け取れる工夫を教えてください。

A 1. 連絡帳の設置: 学校からの連絡やプリントを収納するための特別な場所を指定しましょう。子供に、連絡帳やプリントをその場所に置く習慣をつけるよう促しましょう。
2. リマインダーリスト: 子供が学校行事や持ち物を忘れないよう、リマインダーリストを作成しましょう。子供自身が持っていて、必要なものや予定を確認できるようにします。 (後略)

ここがポイント

プロンプトに対象となる子どもの学齢などを記述したうえで、困りごとの具体的な内容を追加します。また、達成したい目標のレベルも指定しておきましょう。ここではプリントが対象ですが、上履きや体操着などでも同様のプロンプトで質問できます。

不登校の兆候への対応方法を教えてもらう

プロンプト

Q あなたは経験豊富なスクールカウンセラーです。小学校4年生の我が子が「学校へ行きたくない」といい始めました。推測される原因と、適切な対応を挙げてください。なお、健康状態は良好です。

A 推測される原因:
1. 学業のプレッシャー: 4年生になると、学業がより難しくなることがあります。子供が授業や宿題に圧倒されている場合、学校への不安や抵抗が生じることがあります。
2. 社交的な問題: 学校での友達関係やいじめ、クラス内での対立など、社交的な問題が子供の不安や抵抗の原因となることがあります。

（後略）

ここがポイント

不登校は早めの対応がベターなので、気になった時点でChatGPTに質問します。プロンプトには学齢を記述し、可能な範囲で子どもの様子の説明も添えます。回答を読んで思い当たる項目があったら、その点を掘り下げる質問を重ねてみましょう。

中学校へ進学直後の問題を予測してもらう

プロンプト

Q あなたは経験豊富なスクールカウンセラーです。小学校から中学校へ進学したとき、子どもが戸惑いがちなことを、具体的に例示し、その対策を説明してください。

A 戸惑いがちなことと対策:
1. 新しい環境への適応: 中学校は新しい校舎や新しいクラスメートとの出会いがあり、子供は新dしい環境に適応する必要があります。対策として、入学前に学校を訪れ、校舎や教室を見学し、環境に慣れるようサポートします。（後略）

ここがポイント

トラブルが起こりそうだと予想できる場合は、事前にChatGPTで一般的な情報を取得するためのプロンプトを投げて、対処方法を調べておきましょう。ここでは中学進学が重要なキーワードで、具体例と対策を要求します。

思春期に起こりがちな問題についてたずねる

ここでのプロンプトのポイントは、必ずしも解決することを求めていないという点です。気にしていることが実は当たり前のことなのかどうかを最初に質問しています。さらに、可能ならば改善したいという控えめな要求を追加しています。こうした微妙な心情を伴うプロンプトでも、ChatGPTはそれなりに汲み取ったかのように回答してくれます。

プロンプト

Q あなたは有能な心理カウンセラーです。中学生になった子どもが最近、家であまり口をきいてくれなくなりました。これは思春期には典型的なことでしょうか。また、改善する方法があったら紹介してください。

A 思春期に子供が口をきかなくなることは、一般的な現象です。思春期は身体的、感情的、社会的な変化が急激に起こる時期であり、子供たちは自己発見やアイデンティティの形成に取り組んでいます。これに伴い、親との関係においても変化や摩擦が生じやすいです。以下は、この状況を改善するための一般的なアドバイスです:

1. コミュニケーションを促す:
   - 子供に対して開かれたコミュニケーションを持つように努力しましょう。子供が話したいと思う環境を提供し、興味を持ち、尊重しましょう。
   - 一方向的な質問ではなく、子供に感情や考えを自由に表現できる場を提供しましょう。

2. 聞き手になる:
   - 子供が話すときに注意深く耳を傾け、感情や思いを理解しようと努力しましょう。
   - アドバイスをあまり与えず、ただ聞くことに焦点を当てましょう。

3. プライバシーとスペースを尊重する:
   - 子供たちが自分自身を見つめ、個人的な領域を尊重するための時間とスペースを提供しましょう。
   - 適度なプライバシーを確保することで、子供たちは自己表現や自己発見に集中できるようになります。

4. 感情を受け入れる:
   - 思春期の子供たちは感情が不安定であることがあります。　（後略）

遺言書のフォーマットを作成する

遺言書に強い法的拘束力を持たせたい場合は別として、単に遺族に自分の意向を伝えたいだけであれば、ChatGPTに書式の生成を指示することは有効です。おもな資産のリストや譲りたい相手などの限定条件があれば、リストアップしてプロンプトに記述します。あるいは、次のプロンプトで修正を指示してもかまいません。

プロンプト

Q あなたは遺産相続に強い弁護士です。遺言書のフォーマットを作成してください。

A 遺言書は法的文書であり、地域や法律によって異なる要件があることがあります。したがって、遺言書を作成する際には、地域の法律を遵守するために、地元の弁護士や法律顧問に相談することを強くお勧めします。以下は、一般的な遺言書のフォーマットの一例ですが、法的助言を提供するものではありませんので、参考程度に留めてください。

遺言書
私、[あなたの名前]、[住所]、[生年月日]生まれ、[国籍]、[身分証明書番号]、健全な精神と判断力を持ち、自発的に、この遺言書を作成し、宣言します。

第1条: 遺言執行者の指定
私は、遺言執行者として、[遺言執行者の名前]、[住所]、[生年月日]生まれ、[国籍]、[身分証明書番号]、を指定します。遺言執行者は、私の死後、私の遺産を処理し、遺言書に従って分配する責任を負うものとします。

第2条: 遺産の分配
私の遺産を以下のように分配します:
2. 1 [相続人1の名前]
　- [相続人1の住所]
　- [相続人1の生年月日]

（後略）

COLUMN

遺言書以外でも、借用証や委任状などのように、広く一般的に使われているような書式であれば、ChatGPTにベースを生成してもらい、それを修正してから使えば簡単です。

円満離婚の方法を考えてもらう

プロンプト

Q あなたは離婚問題に強い弁護士です。円満に離婚する場合の効果的な方法を教えてください。

A 私は情報提供のみを行うAIですので、法的なアドバイスを提供することはできませんし、弁護士ではありません。ただし、円満な離婚を追求する際に考慮すべき一般的なアプローチや注意点についてお伝えできます。

1. コミュニケーション: 離婚に関する重要な決定を共有し、議論するためにオープンで建設的なコミュニケーションを確立しましょう。感情を抑え、冷静に話すことが大切です。 （後略）

ここがポイント

このプロンプトは一般論としてのアドバイスを求めるものです。離婚したい理由などの条件を追加すると、回答は大きく変化します。また、資産分与など問題となりそうなポイントについては、次のプロンプトで質問してみるといいでしょう。

プライバシーポリシーを作成する

プロンプト

Q あなたはコンプライアンスの専門家です。当社は生活雑貨の通販会社です。当社のオンライン販売サイト用のプライバシーポリシーを作成してください。

A もちろん、プライバシーポリシーはオンラインビジネスにおいて非常に重要です。以下に、生活雑貨の通販会社向けのプライバシーポリシーの一般的なテンプレートを提供します。ただし、法的アドバイスを受けることをお勧めし、特定の規制や法律に合わせてカスタマイズすることをお勧めします。

（後略）

ここがポイント

通販サイトのプライバシーポリシーはどれも似たりよったりな内容ですので、ChatGPTに生成してもらえば簡単です。ここではプロンプトに簡単な業種の説明を記述しただけですが、しっかりしたものを作りたい場合は、業務内容を詳しく追加してください。

第7章

まだまだある！
最高のプロンプト集

ビジネスのコミュニケーション

テーマ	プロンプト
難しい文章を読みやすくする	あなたは最高の記者です。以下の文章を9歳の子どもでも簡単に理解できるように、わかりやすい文章にリライトしてください。（文章）
文章の意味を変えずに文字数を増やす	あなたは最高の記者です。以下の文章の意味を変えずに、600文字に増やしてください。（文章）
謝罪メールを作成する	あなたは謝罪のプロです。以下の内容に関して、上司に謝罪メールを書いてください。丁寧になりすぎず、簡潔にまとめてください。（謝罪内容）
お礼状を作成する	あなたはマナー教室の先生です。以下の条件で、お礼状の文案を作成してください。（条件）
箇条書きから簡単に文面を作成する	下記の内容をもとにメールの件名と文面を作成してください。私はA社営業部の鈴木、送信先はB社総務部の佐藤部長です。相手に失礼のないように丁重な文面にしてください。（メール内容を箇条書きで）
文章の語調を変更する	以下の文章を若い女性が書くような文章にしてください（文章）
製品への興味に応える返信テンプレートを作成する	あなたは最高のカスタマーサポートです。製品に興味がある顧客の質問に対する返信メールの書き方を教えてください。
部下を叱るメールの文面を作成する	あなたは相手を上手に叱るプロです。遅刻が多い若い部下を叱るメールを作成してください。きつい表現は避け、優しくたしなめるような内容にしてください。
部下のモチベーションを高める	部下のモチベーションを向上させ、生産性を高めるために、給与をどのように調整すべきですか。
上司と仲よくなる方法を教えてもらう	あなたはコミュニケーションの達人です。上司と仲よくなるテクニックを10個提案してください。
飲み会の席の配列を提案してもらう	男性5名、女性7名で飲み会を開催します。4人がけテーブル3台を使う場合、バランスのよい席の配置を提案してください。
休憩時間にできる気分転換の方法を考えてもらう	オフィス内で10分間でできる効果的な気分転換のテクニックを教えてください。
忘年会の進行表を作成する	20時スタート、23時終了の忘年会の進行表を作成してください。
葬儀のドレスコードを確認する	あなたは最高の葬儀ディレクターです。葬儀に以下の服装で参列します。ドレスコードに問題はないでしょうか。（服装）
苦手な上司からの誘いを断る会話を教えてもらう	あなたはコミュニケーションの専門家です。苦手な上司からの飲みの誘いを断る場合の会話術を教えてください。
職場での雑談のネタを考えてもらう	あなたはコミュニケーションの専門家です。職場の同僚や上司とコミュニケーションを取るために、何かよい雑談ネタを5個提案してください。
自分に向いている業界や職種を提案してもらう	あなたは最高の就職コンサルタントです。私の特徴に基づいて、最適だと思われる業界や職種を提案してください。（年齢、体型、性格、趣味など）

立食パーティーでのマナーを教えてもらう	取引先が主催した立食パーティーでのマナーや適切な振る舞いについて教えてください。ビジネスイベントでの良い印象を残すためのポイントや注意すべきことは何ですか。
軽いジョークを作ってもらう	ビジネスの交渉や会議で、軽くリラックスさせるために使えるジョークを教えていただけますか。
顧客からの大量の疑問を効率的に処理する	あなたは最高のカスタマーサポートです。顧客から寄せられた大量の疑問を効率よく処理する方法を提案してください。
顧客を上手くなだめる方法を考える	あなたは最高のカスタマーサポートです。不満を持つ顧客に対して、上手になだめるきわめてユニークな方法を提案してください。
文章を感動的に修正する	あなたは最高のライターです。以下の文章を、読者を深く感動させるように修正してください。（文章）
ニッチな商品やサービスを考える	（ビジネス分野）の事業を立ち上げる予定なのですが、成功する上で最適なニッチな商品やサービスを提案してください。
仕事の催促メールを作成する	私は営業部の田中です。資材部に所属する高橋に以下の内容で催促メールを送るので文面を作成してください。（催促の内容）
業務日報を簡単に作成する	以下の内容をもとに業務日報を作成してください。出力形式は、時間:業務内容の表組みとしてください。（内容の箇条書き）
アクションプランを作成する	あなたは最高の経営コンサルタントです。自動車セールスで売上1億円を達成するためのアクションプランを作成してください。
こちらに非があるか判断してもらう	あなたは最高の法務責任者です。以下のクレームに対して、こちらに非があるかどうか判断してください。（クレーム文章）
年代別の悩みをリサーチする	あなたは最高のマーケティング担当者です。仕事への不安に対する20代、30代、40代、50代の悩みを分析してください。

ビジネスのアイデア

テーマ	プロンプト
商品の特徴が伝わるタイトルを作成する	あなたは最高のコピーライターです。以下の商品の特徴が伝わるような見出しを8個作成してください。（商品の特徴）
イベント用のタイトルを作成する	あなたは最高のコピーライターです。以下の特徴を持つイベントに関連する12文字のタイトルを8個作成してください。（イベントの特徴）
キャラクターに合った見出しを作成する	あなたは最高のコピーライターです。以下の特徴を持つ（キャラクター名）を表現する見出しを5個作成してください。（キャラクターの特徴）
ジャンルに応じたタイトルを作成する	あなたは最高のコピーライターです。（ジャンル名）のイメージに合ったタイトルを5個作成してください。
ほかの執筆者との違いを指摘してもらう	あなたは最高の編集者です。私は雑誌の記者ですが、私が書いた以下の文章を分析し、ほかのライターと比較して執筆スタイルの違いを解説してください。
SNS投稿のユニークな着眼点を考える	あなたは最高のSNSディレクターです。（テーマ）についてのツイートを作成し、ユニークで斬新な着眼点を提案してください。

SNS向けに投稿を修正する	あなたは大人気のインフルエンサーです。SNSに投稿する以下の文章を、多くのユーザーから「いいね」が付くように修正してください。(文章)
TikTokで最適なハッシュタグを作る	あなたは最高のインフルエンサーです。TikTokで(テーマ)に関する投稿する際の効果的なハッシュタグを5個考えてください。
TikTokで商品のイメージアップを図る	あなたは最高のインフルエンサーです。TikTokで(商品名)のイメージ向上につながる画期的な動画のアイデアを5つ提案してください。
TikTokで流行中のハッシュタグを調べる	あなたは最高のインフルエンサーです。TikTokの(テーマ)に関連する投稿で流行っているハッシュタグを教えてください。[※Bing AIで利用可]
X広告用の見出しを作成する	あなたは最高のコピーライターです。以下の内容のTwitter広告用に、ユーザーを強く引きつける広告タイトルを10個作成してください。(広告の内容やターゲット)
Xで議論を喚起する投稿を作成する	あなたは最高のインフルエンサーです。Twitterで(テーマ)に関する議論を活発にするためのツイートを3個作成してください。
Xの広告の視覚的な演出を考える	あなたは最高のインフルエンサーです。Twitterの広告で視覚的な効果を期待できる演出方法を提案してください。
Xのエンゲージメント率を高める裏の手を考える	Twitterでエンゲージメント率を高めるために、絵文字とハッシュタグ以外の方法を提案してください。
過去にXでバズった投稿を分析してもらう	以下は過去にTwitterでバズったツイートです。この内容を分析して、バズった理由を解説してください。
Facebook広告の戦略を考える	料理講座を主婦層にアピールするための効果的なFacebook広告の戦略を提案してください。
Instagramでバズる投稿を作成する	「ラーメン」をテーマに、インスタグラムで1万人以上の人が「いいね」をくれる魅力的な投稿を作成してください。
SEO対策されたタイトルを考える	あなたは優秀なWebディレクターです。(テーマ)に関するブログ記事を作成します。この記事に対してSEO対策になる効果的なタイトルを3つ作成してください。
ブログのまとめを紹介するメールを作成する	弊社のブログで過去1週間の人気記事やコンテンツを簡単に紹介するメールを作成してください。
商品の主要機能とメリットを説明する	(商品名)の利点と主要機能を強調する5つの商品説明を作成する方法を教えてください。
指定した条件でキャッチコピーを考えてもらう	次の製品のキャッチコピーを10個考えてください。30文字以内で、躍動感があり、買いたくなるようなコピーにしてください。(商品名、価格、特徴)
特定のシチュエーションをタイトルで表現する	あなたは最高のコピーライターです。(シチュエーション)を表す10文字のタイトルを5個作成してください。
多角的なアイデアを出す	あなたは最高のビジネスストラテジストです。水平思考で(製品やサービス)の広報・宣伝戦略のプランを考えてください。
問題解決のための手法を考えてもらう	(製品やサービスの問題)の問題に対する対処方法をTRIZの思考法を用いて提案してください。

文字データ処理

テーマ	プロンプト
文章のタイトルを考えてもらう	次の文章に付ける魅力的なタイトルを5個挙げてください。タイトルは18文字以内にしてください。 社会に大きなインパクトをもたらしたインフレから生まれたのが、単に値上げするのではなく、付加価値を付けた「格安プレミアム」というべき市場だ。
文章の見出しを考えてもらう	次の文章に付ける印象的な見出しの候補を15個考えてください。見出しの文字数は20文字程度でお願いします。なお、見出しの雰囲気やニュアンスは、例を参考にしてください。（文章、雰囲気）
文章からハッシュタグを作成する	あなたは大人気のインフルエンサーです。以下の文章から、SNS用の効果的なハッシュタグを3個作成してください（文章）
文章を推敲してもらう	あなたは最高のリライターです。以下の文章を読み、文脈や表現に誤った部分があれば修正し、併せて修正箇所と修正理由もリストアップしてください。（文章）
ポイントを絞って内容をまとめる	あなたは要約の専門家です。以下の文章の最も重要だと思われるポイントを3つ挙げてシンプルにまとめてください。（文章）

生活

テーマ	プロンプト
言葉の意味から諺を教えてもらう	あなたは最高の国語学者です。（諺の意味）という意味の諺を教えてください。
旅行のプランを考えてもらう	あなたは最高の旅行プランナーです。東京から神奈川県箱根町までクルマで旅行したいと思います。富士山を見ることができて、温泉を楽しむことを中心に1泊2日の旅行プランを考えてください。
タスクの手順を表にする	あなたはタスク管理の達人です。卒業論文の作成に必要な手順を分解して、表形式で作成してください。
タスクの時間配分を作成する	あなたはタスク管理の達人です。これから2時間かけて自宅の大掃除をします。時間配分してスケジュールを作成してください。
難しい用語をわかりやすい例で説明する	「シラバス」という用語について、日常的になじみのある事柄にたとえて解説してください。
元ネタがある文章を別人が書いたようにリライトする	あなたは最高の編集者です。以下の文章の要旨を保ったまま、段落や順序の入れ替え、多角的な視点の追加を行い、文章全体の構成を大幅にリライトしてください。（文章）
簡単なショートストーリーを書いてもらう	あなたは最高の小説家です。鈴木太郎を犯人とするミステリーのショートストーリーを書いてください。
なぞなぞで遊ぶ	あなたは最高のなぞなぞ作家です。なぞなぞの問題を出してください。
歴史上の人物同士で議論させる	あなたは歴史シミュレーターとして振る舞ってください。織田信長と明智光秀を登場させて、どちらが悪いか発言形式でお互いに議論させてください。

言葉を絵文字で表現してもらう	あなたは絵文字の達人です。「お腹いっぱい」を絵文字で表現してください。
Wikipedia風の解説記事を作成する	あなたは最高のWebライターです。「東京タワー」の解説をWikipediaっぽく作成してください。
海外旅行の持ち物リストを作成する	あなたは海外旅行の達人です。フランスのパリに5泊6日の旅行に行くのですが、必要な持ち物一覧をチェックリストの表形式で作成してください。
タイトルが思い出せない映画を教えてもらう	あなたは映画データベースです。挫折したプロボクサーが頂点を目指す1970年代後半にヒットしたアメリカ映画のタイトルを教えてください。
歌詞の詳しい意味を調べる	あなたは最高の音楽評論家です。「君が代」の歌詞に出てくる「さざれ石のいわおとなりて、苔のむすまで」の意味を詳しく解説してください。
相手を説得する手紙の文章を作成する	あなたは最強のネゴシエーターです。彼女との結婚に反対する両親を説得する手紙の文章を書いてください。
相手の行動を読み解くヒントをもらう	あなたは行動心理学の専門家です。以下のような行動はどのような心理が考えられるか分析してください。私が近くに座ると、知人が別の席に移動した。
怖い怪談話を作成する	あなたは怪奇現象の研究家です。身の毛もよだつ心霊にまつわる怪談を教えてください。
過去の名言・格言をもとに新しい格言を作る	あなたは現代最高の哲学者です。過去の偉人たちの格言や名言をもとに、あなた独自の格言を5つ創造してください。
ストーリー形式のRPGゲームで遊ぶ	選択肢を選んでストーリーが展開していく冒険RPGを提供してください。
プロンプトをChatGPTに改良してもらう	あなたはプロンプトの達人です。以下のプロンプトを分析し、ChatGPTから最良の回答が引き出せるようにアドバイスと具体的な改善例を示してください。なお、プロンプトには直接回答しないでください。(プロンプト)
センスがなくても秀逸な短歌を作成する	あなたは最高の短歌作家です。「天の川」の言葉を使って、五音-七音-五音-七音-七音の短歌を5個作成してください。
同じ発言内容を人物別に作成する	「その美しさと神秘的な雰囲気に感激しました」という発言を、8歳の小学生、17歳の高校生、25歳の会社員の口調でそれぞれ作成してください。
歴史的な名場面をドラマで再現する	あなたは歴史ドラマ専門チャンネルです。歴史上有名な事件である「カノッサの屈辱」を、ドラマ形式で再現してください。
進学するべき志望学部や学科を提案してもらう	あなたは最高の教育コンサルタントです。将来、IT分野で起業を目指す場合、大学進学で目指すべき学部や学科はどこか、詳しく提案してください。
歌詞を作成する	あなたは最高の作詞家です。恋愛をテーマに、約4分の曲に付ける歌詞を作成してください
引っ越しの手続きリストを作成する	あなたは引っ越しの達人です。物件の契約が終わり、2ヶ月後に引っ越す予定なのですが、手続きの流れをわかりやすくリスト化してください。
本格的な小説のプロットを作成してもらう	あなたは想像力あふれる最高の小説家です。「鈴木太郎」という男性が主人公の出生にまつわるミステリー作品を執筆します。4万字程度の小説を執筆するためのプロットをハリウッドの三幕構成の形式で作成してください。

マネー・投資

テーマ	プロンプト
借金の返済方法を提案してもらう	あなたは最高のファイナンシャルプランナーです。ギャンブルで作った借金が100万円あります。毎月の手取り収入が25万円で、家賃は8万円です。借金の返済を効率的に行うための方法を提案してください。
投資資金の分散比率を提案してもらう	あなたは最高のファイナンシャルプランナーです。投資資金が100万円あります。これを、国内株式、海外株式、国内債権、海外債権に分散投資する場合の最適な比率と、その理由を提案してください。
資産状況に適した運用アドバイスをしてもらう	あなたは最高のファイナンシャルプランナーです。私は40歳の独身男性で、貯金が300万円、借金が100万円あります。どんな資産運用をすればいいかアドバイスをください。
定年後の資金計画をアドバイスをしてもらう	あなたは最高のファイナンシャルプランナーです。定年退職まであと5年なのですが、老後資金を貯めるためのポイントを提案してください。
ポートフォリオ戦略のアイデアを提案してもらう	あなたは最高の投資コンサルタントです。日本の株式投資で年率20%のパフォーマンスを目標にします。ポートフォリオのアイデアを提案してください。
企業情報の見方を教えてもらう	あなたは最高のファイナンシャルプランナーです。株式投資をしたいので、企業の財務諸表の見方について詳しく教えてください。

語学学習・翻訳

テーマ	プロンプト
語学学習の方法をたずねる	あなたは英語教育のエキスパートです。どんどん語学が上達するような、手軽にできる方法を紹介してください。
効率的に英語の語彙を増やす方法をたずねる	あなたは最高の英語教師です。効率的に英語の語彙力を増やすため、素早く単語や熟語を覚えられる方法やコツなどを教えてください。
アクセントの位置を覚える方法をたずねる	あなたは有能な英語教師です。英単語のアクセントの位置を正しく覚える方法を説明してください。
リスニング能力の向上方法をたずねる	あなたは有能な英語教師です。英語のリスニング能力を効率的に高める方法を教えてください。
難しい発音を身につける方法を教えてもらう	あなたは有能な英語教師です。日本人には難しいVやTHの発音、LとRの区別などを身につける方法を教えてください。
第二外国語を推薦してもらう	あなたは博学な言語学者です。日本人が英語の次に学ぶ言語を選ぶ場合、習得が比較的容易で、実用性が高そうな言語のベスト3を推薦してください。
ある言語を学ぶうえでの難所をたずねる	あなたは博学な言語学者です。日本人が（外国語）を学ぶうえで、困難なポイントを教えてください。
各言語での名前の発音を知る	あなたは博学な言語学者です。英語の人名「ピーター」は、ほかの言語ではどのような呼び方になりますか。
よい練習相手はネイティブか否かたずねる	あなたは経験豊富な英語教師です。英会話の練習相手として、英語のネイティブスピーカーと、英語以外を母語とする英語学習者と、どちらがベターでしょうか。それぞれのメリットとデメリットを教えてください。

英会話教室のスタイルによる違いをたずねる	あなたは経験豊富な英語教師です。英会話を習う場合、個人レッスンとグループレッスン、対面とリモートのメリット・デメリットを列挙して比較してください。
外国語を日本語に翻訳する	あなたは有能な翻訳者です。以下の文章を日本語に訳してください。(外国語の文章)
日本語を外国語に翻訳する	あなたは有能な翻訳家です。以下の文章を英語に翻訳してください。(日本語の文章)
顧客宛てのメールを書く	以下の内容で顧客宛ての英文メールを作成してください。 (要点を箇条書きで)
相手に好印象を与えられるように添削してもらう	相手に聡明だと感じさせられるように、添削してください。
ミーティングの練習をする	あなたは私の上司のJohnです。私はMaiです。私と英語でロールプレイを行います。あなたはJohnとしての発言だけしてください。また、1回の発言は50ワード以内にしてください。(会社・業種、お互いの所属部署・立場、話し合うテーマなどを箇条書きで記載)
英語学習用の例文を作成する	あなたは有能な英語教師です。以下の英単語すべてを含み、3個のセンテンスからなる1段落の英語学習用の例文を作成してください。(複数の英単語)
英語の発音の規則性をたずねる	あなたは有能な英語教師です。英語の綴りと発音の関係に存在する規則性の代表的なものを列挙してください。
アメリカ英語とイギリス英語の違いをたずねる	あなたは有能な英語教師です。アメリカ英語とイギリス英語の違いについて、代表的なものをいくつか紹介してください。また、その例文も教えてください。
英語の構文を説明してもらう	あなたは有能な英語教師です。英文の代表的な文型と、その意味を教えてください。
韻の踏み方を教えてもらう	あなたは有能な英語教師です。英語の詩などで、「韻を踏む」ということの意味を、実例をまじえて説明してください。
英語を話すコツをたずねる	あなたは有能な英語教師です。自分が覚えている単語だけを組み合わせて、とっさのときに適切な文を組み立てて話せるようになるコツを教えてください。
2つの単語の意味合いの違いを比較する	(英単語)と(英単語)の意味の微妙な違いを説明してください。
英語で日記を書く	日記を書くときに便利な英語の表現を10個紹介してください。
職種ごとによく使われる英語を教えてもらう	(職種名や業界名)でよく使われる英単語を例文と一緒に10個教えてください。
英語でジョークをいう	英語のジョークを挙げてください。また、どこがおもしろいのかを教えてください。
英単語の覚え方をたずねる	あなたは最高の英語教師です。最新の理論に基づいた英単語の覚え方を教えてください。
英単語から例文を作成する	あなたは有能な英語教師です。「(任意の英単語)」を使った例文を5個作成して、それぞれ日本語の意味を付けてください。

パソコン・スマホの使い方

テーマ	プロンプト
Excelのショートカットキーを確認する	Excelで使えるショートカットキーを教えてください。
Excelファイルの表でグラフを生成する	このファイルの表をグラフにしてください。[※Advanced Data Analysisを利用。Excelファイルをアップロード]
サンプルデータを作成する	次の項目を入れたサンプルデータを表形式で作成してください。(必要な項目)[例:商品名、原価、売価]
文章のチェックと校正を自動的に行う	あなたはWordのスペシャリストです。次の文章の文法やスペルをチェックし、修正前と修正後の文章、および修正箇所を書いてください。(文章)
目的に応じたWordテンプレートを作成する	あなたはWordのスペシャリストです。毎月提出する業績報告書のWordテンプレートを作成するための手順、ガイドライン、注意点を提案してください。
Wordの文書にExcelのデータを差し込んで出力する	作成したWord文書の(会社名または団体名)のところに添付のExcelファイルの社名を差し込んで、各社分のWordファイルを作成してください。[※Advanced Data Analysisを利用]
Word文書からPowerPointのスライドを自動生成する	あなたはWordのスペシャリストです。Word文書の見出しを抽出し、PowerPointスライドへ自動的に出力する方法を教えてください。
PowerPointのスライドをPDFに出力する	アップロードしたPowerPointファイルの各スライドをそれぞれPDFに出力してください。[※Advanced Data Analysisを利用]
Wordファイルのデザインを修正してもらう	このファイルのデザインを見栄えのよい案内状のように修正してから保存してください。[※Advanced Data Analysisを利用。Wordファイルをアップロード]
スマホのトラブル対処方法を教えてもらう	iPhoneから突然音が出なくなりました。考えられる対処方法を教えてください。
スマホのバッテリー交換ができるショップを比較する	iPhoneのバッテリー交換ができるショップを調べて、評価やクチコミ、価格を比較してください。場所は品川駅周辺です。
SMSやLINEの返信を考えてもらう	既読無視と思われたくないので、回答を先送りする相手への返信を考えてください。相手のメッセージは次のとおりです。(メッセージの概要)
文章のチェックと校正を自動的に行う	あなたはWordのスペシャリストです。次の文章の文法やスペルをチェックし、修正前と修正後の文章を書いてください。また、修正した箇所を箇条書きにしてください。(確認したい文章)
英文メールを翻訳して返信の内容を考えてもらう	あなたは英語のプロフェッショナルです。アメリカ支社から次のメールが届きました。これを日本語に翻訳してください。その後、どのように返信したらいいか提案し、それの英訳も教えてください。(英文メール本文)

デザイン・Web制作

テーマ	プロンプト
ブログの素材を作成する	ブログに載せるゆらゆら揺れるボタンを作成してください。
ランディングページの構成を提案してもらう	老舗パン屋のECサイトを構築します。ランディングページは、どのような構成にしたらいいか考えてください。
指定したページのHTMLとCSSを書く	ランディングページのサンプルをHTMLとCSSで記述してください。
特定のページを具体的に指示して作成する	BtoC向けのサイトで404や403エラーなどのエラーページを表示する際のページに表示する要素を提案してください。なお、ユーザーが困らないように、表示する要素は少なくし、次のアクションがしやすいようにしてください。
イラストを生成するプロンプトを考えてもらう	画像生成AI向け英文プロンプトを作成します。次のイメージを構成する内容を表現してください。なお、文章は500文字程度出力して一文にまとめ、分節は「.」で連結してください。(何の画像なのか、画像の特徴)
サイトの画面遷移図を作成する	あなたはプロのWebデザイナーです。老舗パン屋のECサイトを作成します。商品を購入するまでの画面遷移図を表示してください。
コンセプトのキャッチコピーを考えてもらう	あなたはプロのコピーライターです。次の商品のキャッチコピーを10個考えてください。(商品名、特徴)
サイトの色彩を提案してもらう	落ち着いてリラックスすることを目的としたサイトを作成します。このサイトの基本となる色合いを提案してください。
サイトで使うフォントを提案してもらう	落ち着いてリラックスすることを目的としたサイトを作成します。このサイトの基本となるフォントを提案してください。なお、フォントのインストールは不要ですべての人の環境で使用できるフォントにしてください。
WordPressのプラグインを作成する	次の条件を満たすWordPressのプラグインを作成してください。(動作、条件など)
サイトのプライバシーポリシーを作成する	老舗パン屋のECサイトを構築します。このサイトのプライバシーポリシーを作成してください。
サイトのキャッチコピーを考えてもらう	老舗パン屋のECサイトを構築します。次の特徴をふまえてサイトのキャッチコピーを考えてください。(特徴)
コピーをブラッシュアップする	提案してもらったコピーを若者向けのスタイリッシュなものにしたいです。短めで覚えやすいものを考えてください。
CSSでアニメーションを作成する	ブログで利用できる波が漂う様子の綺麗なアニメーションを作ってください。CSSを利用してください。
ブログに載せるグラフを作成する	Google Chartsで棒グラフを書くためのhtmlコードを書いてください。(グラフのタイトル、縦軸と横軸の名称、データ)
記事にあるリンクの品質をチェックする	次のブログ記事に含まれる内部リンクと外部リンクの品質を評価してください。(URLが含まれる文章)
掲載する画像イメージを提案してもらう	パン屋さんのサイトで404や403エラーなどのエラーページを表示する際、ページ内に表示する画像はどのようなものがいいか提案してください。

画像の背景を透過させる方法を教えてもらう	Photoshopで画像の背景を透過させる方法を教えてください。
スマホのカメラでベストな撮影方法を教えてもらう	あなたはプロのカメラマンです。iPhoneでビルを大きく撮影する方法を教えてください。
Pythonでコードを書いてもらう	あなたはプロのプログラマーです。PythonでCSVファイルを読み込むコードを教えてください。
コーディングを提案してもらう	あなたはWordpressエンジニアです。WordPressにカスタムHTMLを追加し、記事内にCTAゾーンを設けるためのHTMLを提案してください。
ファイルからFAQを作成する	このファイルを読み込んでFAQを3つ作成してください。[※Advanced Data Analysisを利用。任意の文書ファイルをアップロード]
コードをリファクタリングする	あなたはプロのプログラマーです。次のコードをリファクタリングしてください。(コード)
HTMLファイルから企業情報を抽出する	このHTMLファイルを読み込んで企業情報の抽出を行ってください。[※Advanced Data Analysisを利用。HTMLファイルをアップロード]
Wordのトラブルシューティングをする	Word文書の行頭がズレてしまいます。どうしたらいいですか?
スケジュールを整理して重要なタスクをピックアップする	今日のスケジュールを整理して、重要なタスクを教えてください(今日のスケジュール)
作成した文章の感想をもらう	この文章の感想をください。[※Advanced Data Analysisを利用。任意の文書ファイルをアップロード]
重複するデータを削除する	このファイルで重複しているデータを削除してください。[※Advanced Data Analysisを利用。CSVまたはExcelファイルをアップロード]
全角数字を半角数字に修正する	次の電話番号の全角数字を半角数字に修正してください。また全角のハイフンも半角にしてください。(電話番号)
書き起こしたデータの適切な場所に句読点を入れる	あなたはプロの校正者です。次の文章は音声データの書き起こしです。適切な場所に句読点や改行を入れてください。(書き起こし)
スマホのバッテリー節約方法を考えてもらう	Androidでバッテリーを節約するのに効果的な設定を3つ教えてください。
アプリの設定方法を教えてもらう	Twitter(X)アプリで重要ではない通知をオフにする方法を教えてください。
スマホアプリの開発方法を教えてもらう	iPhone向けのアプリを開発するための方法を教えてください。
SNSに投稿する文章を確認する	次の文章をSNSに投稿した際のリスクを確認してください。(文章)

医療・美容

テーマ	プロンプト
症状に合わせた市販薬を調べる	頭痛が酷いので、薬局ですぐに買える即効性のあるおすすめの医薬品の商品名を教えてください。
症状を説明できない際のアドバイスをしてもらう	胸が締めつけられるような感じですが、医師にうまく説明できません。どのように説明したらいいかアドバイスしてください。
薬を飲み忘れたときの対策を教えてもらう	ビグアナイド薬を飲み忘れました。どうしたらいいか教えてください。
セカンドオピニオンを説明してもらう	医師から手術をすすめられましたが、ほかの治療法がないかを知りたいです。その際のセカンドオピニオンについてアドバイスしてください。
医者からいわれたわからない言葉を調べる	医師から「あんせいがしょう」に注意といわれましたが、意味を教えてください。
医療で受けられる制度について調べる	医療費が高額になった場合に日本で受けられる制度を教えてください。
気になる症状について調べる	最近疲れを感じることが多いので、考えられる原因を教えてください。
予防ケアのやり方を教えてもらう	認知症を防ぐためにできる習慣、食事を教えてください。
提案された健康法が本当によいのか調べる	サウナは健康によいとすすめられましたが、本当によいのでしょうか。効果と注意点をまとめてください。
美容によい食品やサプリを提案してもらう	便秘を改善する食品やサプリを教えてください。
症状に合わせたサプリメントを教えてもらう	膝の痛みを軽減するサプリを教えてください。
サプリの商品名を調べて比較する	グルコサミンを含むおすすめのサプリメントの商品名と価格を調べ、複数の製品を比較してください。
自分の肌タイプを分析する	自分の肌の状態を知りたいので、それに関する質問をして私の肌タイプを分析してください。
製品を比較する	「なめらか本舗 豆乳イソフラボン」と「無印良品 クリアケア」を比較してください。
美容品や医薬品のセール情報を探してもらう	「なめらか本舗 豆乳イソフラボン」のセール情報を教えてください。
美容によいエクササイズを提案してもらう	最近お腹のたるみが気になるので、50代でも無理なくできるエクササイズを教えてください。
美容品や医薬品の成分を調べる	「なめらか本舗 豆乳イソフラボン」の成分リストを解析してください。また懸念される成分がないかも教えてください。
化粧道具のお手入れの方法を調べる	化粧スポンジやメイクブラシなどの化粧道具の、休日にできるお手入れ方法を教えてください。

メンタルヘルス

テーマ	プロンプト
やる気の出る格言を教えてもらう	人生のモチベーションを上げてくれる格言をいくつか教えてください。
人生の意味を質問する	人間が生きる意味とは何でしょうか。なるべくポジティブな方向で教えてください。
一日のはじめに元気づけてもらう	今日一日を元気に過ごせるように、私にエールを送ってください。
寝つけないときの対処法を教えてもらう	最近なかなか寝つけません。効果的な対処方法と、リラックスできる音楽が聴けるサイトを教えてください。
診断名から対策を提示してもらう	ADHDについての概要説明と、職場や日常で手軽にできる対策について情報を提供してください。
ストレスをチェックする	ストレスチェックのためのリストを提示し、何項目以上当てはまるとリスクが高いか教えてください。
ネット依存について相談する	ついSNSやネット動画を見てしまいます。もっと一日を有意義に過ごすには、どうしたらいいでしょうか。
スマホ依存に関わる用語を説明してもらう	ファントムヴァイブレーションとは何ですか？
特定の心理学的手法について説明してもらう	ABA（応用行動分析）とは、どのようなものかを説明してください。また、メンタルヘルスの維持に役立てる方法を教えてください。
依存症の対策手法を学ぶ	アルコールやニコチンなどの依存症への対策として耳にする認知行動療法とはどのようなものですか。具体的な例をまじえて説明してください。
失恋から立ち直る方法をたずねる	失恋をしました。立ち直る方法を教えてください。
ブルーライトの影響について聞く	ブルーライトとメンタルヘルスの関係について教えてください。
アロマセラピーについて教えてもらう	入手しやすい香りを使ったリラックス方法を教えてください。
色とメンタルの関係について教えてもらう	インテリアや持ち物などの色合いが気分やメンタルヘルスに与える影響を教えてください。
ガーデニングとメンタルヘルスについて聞く	植物を育てることが精神の安定に効果があるという説について、ポジティブとネガティブの両面の意見を紹介してください。

子育て・教育

テーマ	プロンプト
育児の用語の解説をしてもらう	「フォローアップミルク」とは何ですか。
子どもが喜ぶ遊びを提案してもらう	2歳の子どもが喜びそうな室内の遊びをいくつか提案してください。
習い事を推薦してもらう	5歳の子どもにおすすめの習い事をいくつか紹介してください。
ひらがなを覚えさせる方法をたずねる	小学校就学前の幼児に楽しくひらがなを覚えさせるには、どうしたらいいでしょうか。
着席行動の促進方法をたずねる	小学1年生の子どもが授業中などに立ち歩かずに、席に座っていられるようにする家庭での練習の方法を教えてください。
効率よい漢字の筆順の覚え方をたずねる	漢字の正しい筆順を効率よく覚えるために、漢字の筆順の法則や覚え方のコツを教えてください。
運動技能の指導方法をたずねる	マット運動で後転をスムーズにできるように子どもに教える方法を説明してください。
縄跳びを続ける方法を教えてもらう	小学生が縄跳びで多くの回数を跳び続けられるようにアドバイスをお願いします。
速く走る方法を教えてもらう	小学生が徒競走で速く走れるようにする指導方法を紹介してください。
学校行事が苦手な背景と対策をたずねる	小学生の子どもが運動会や遠足などの学校行事と準備活動が苦手です。背景にある心理の推測と改善策を提示してください。
子どもの将来に夢を持たせる方法を聞く	小学校高学年の子どもに将来の夢を持つことの大切さについて語りたいので、うまく話せるようにアドバイスをお願いします。
進学先の学校についてアドバイスをしてもらう	男女共学の学校と別学の男子校や女子校の、それぞれのメリットとデメリットを教えてください。
発達障害のチェックリストを提示してもらう	発達障害の判定基準の種類と簡単なチェックリストを紹介してください。

法律

テーマ	プロンプト
簡易的な契約書を作成する	友人にお金を貸すのですが、以下の内容で金銭貸借契約書を作成してください。（内容を箇条書きで）
法律の内容をざっくり調べる	日本国憲法第18条の内容を教えてください。
ご近所トラブルの解決法を考えてもらう	ご近所と騒音トラブルになった場合の適切な解決方法を提案してください。
文章の著作権に関する注意点を調べる	文章の著作権の問題を確認する方法を教えてください。
文章のハラスメント度をチェックする	以下の文章がハラスメントに抵触しないかチェックしてください。（文章）
景品表示法に抵触しないかチェックする	以下の文章が日本の景品表示法に違反する危険性がないかチェックしてください。（文章）

付録

ChatGPTへの登録と基本の使い方

パソコンからChatGPTに登録する

OpenAIのアカウントを作成する

ChatGPTを利用するには、OpenAIのアカウントが必要です。このアカウントを作成するには、メールアドレス、ショートメッセージ(SMS)を受信できる電話番号が必要になりますので、あらかじめ用意しておきましょう。ここではパソコンのGoogle Chromeを使った手順を解説します。

1 サインアップを開始

ChatGPTのページ(https://chat.openai.com/)を開き、「Sign up」をクリックする。表示される画面のデザインが異なる場合、画面上の「Sign up」を探してクリックすればよい

2 メールアドレスを入力する

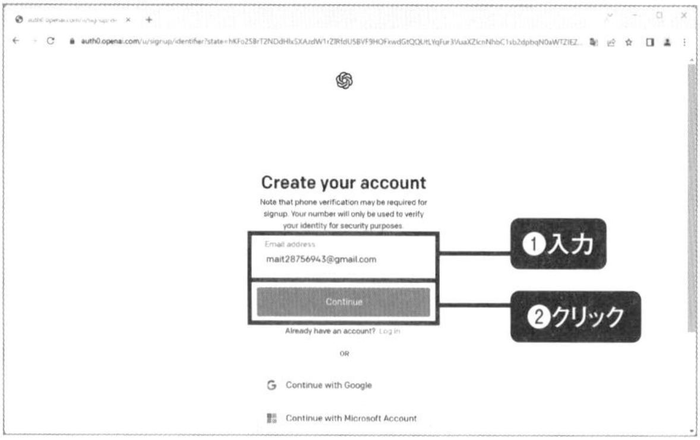

「Create your account」画面が表示されるので、「Email address」にメールアドレスを入力して「Continue」をクリックする。なお、ログインにGoogleアカウント、Microsoftアカウント、Apple IDのいずれかを使いたい場合は、下のボタンをクリックし、画面の指示にしたがって操作すればよい

3 パスワードを設定する

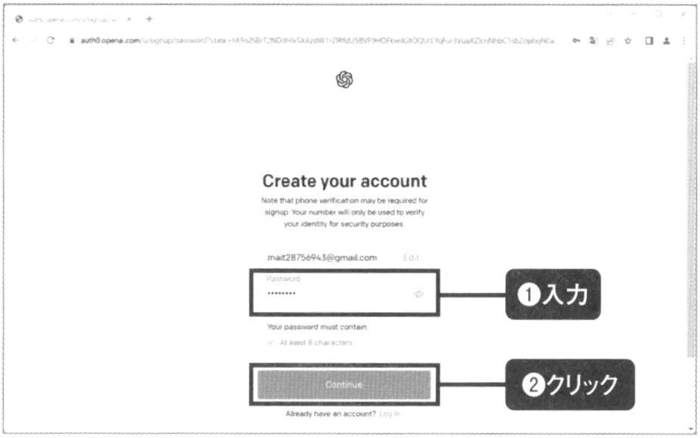

パスワードの入力欄が表示されるので、ChatGPTへログインするのに使うパスワードを決めて「Password」に入力。「Continue」をクリックする

4 メールが送信される

OpenAIから認証用のメールが送信されるので、普段使っているメールアプリなどでメールを確認する。メールアドレスの種類によっては、この画面からメール画面を表示できる。たとえば、Gmailの場合は「Open Gmail」をクリックすれば、Gmailを開くことができる

5 メールアドレスを認証する

OpenAIから届いたメールを開き、「Verify email address」をクリックする。もしメールが届かない場合は、前の画面の「Resend email」をクリックしてメールを再送する

6 名前と生年月日を入力する

「Tell us about you」画面が表示される。名前（「名」と「姓」）と生年月日を入力し、「Continue」をクリックする

7 電話番号を入力する

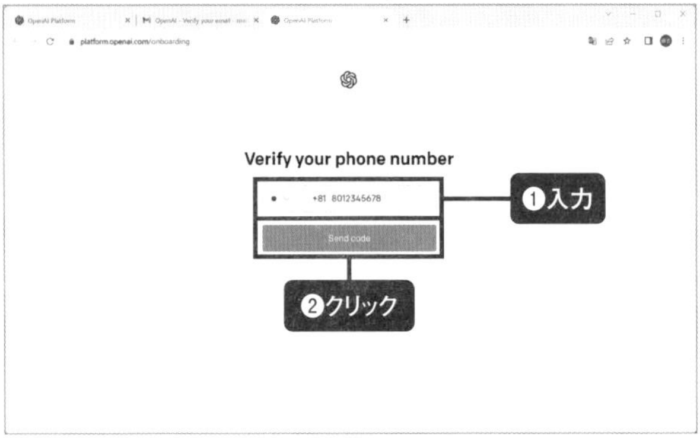

「Verify your phone number」画面が表示されるので、ショートメッセージ（SMS）を受信できるスマホなどの電話番号を入力し、「Send code」をクリックする

8 届いたコードを入力する

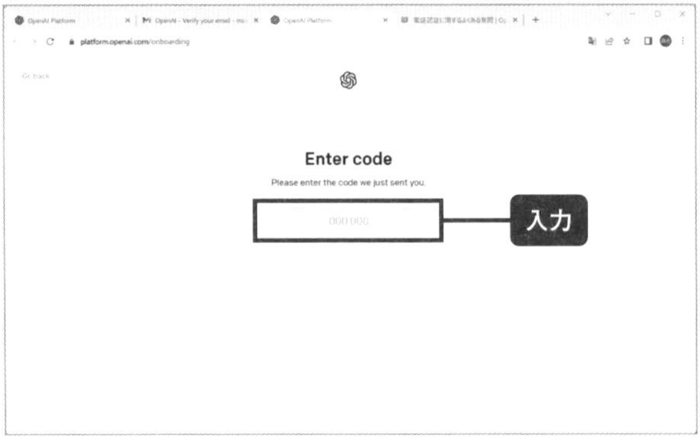

ショートメッセージに記載されている6桁のコードを「Enter code」に入力する。なお、ChatGPTの登録で過去に同じ電話番号を使っていた場合、コードの入力後に注意喚起の画面が表示されて登録できない。この場合は、前の画面に戻って別の電話番号を入力する

9 案内を確認する

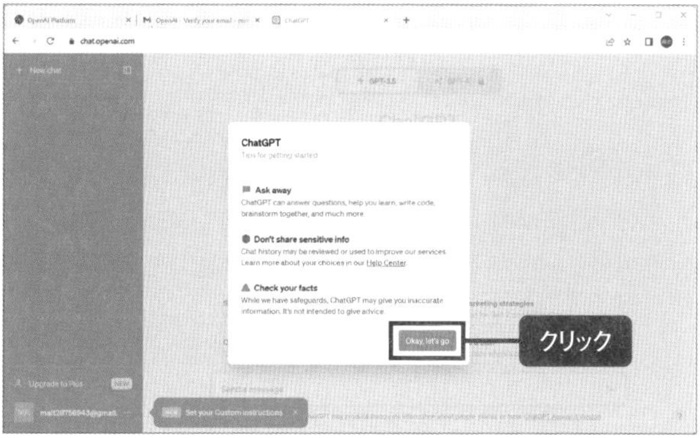

これでOpenAIのアカウントが作成された。ChatGPTの案内が表示されるので、「Okay, let's go」をクリックする

10 チャット画面が表示される

ChatGPTのトップ画面が表示される。これでChatGPTが利用できるようになった

COLUMN

サインアウトしてしまったときはログインする

ChatGPTは、一定時間が経過すると自動的にサインアウトしてしまうことがあります。この場合は再ログインが必要ですので、ChatGPTのトップ画面で「Log in」をクリックし、アカウント作成時に入力したメールアドレスとパスワードを入力して再ログインします。もし、パスワードを忘れてしまった場合は、この画面からパスワードの再設定を行います。

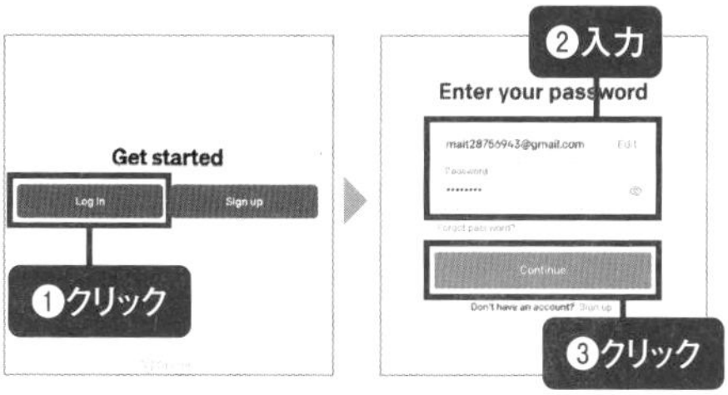

ChatGPTを開き、「Log in」をクリック。認証情報の入力画面が表示されるので、OpenAIアカウントのメールアドレスとパスワードを入力して「Continue」をクリックする。もしパスワードを忘れた場合は「Forgot password?」をクリックし、画面の指示にしたがって再発行する

スマホからChatGPTに登録する

アプリを使ってアカウントを作成する

スマホからOpenAIのアカウントを作成する場合は、ChatGPTの公式アプリを使うのが簡単な方法です。アプリを使う場合でも、メールアドレス、ショートメッセージ(SMS)を受信できる電話番号が必要ですので、あらかじめ用意しておきましょう。なお、有料の非公式アプリに注意しましょう。公式アプリが見つからないときは、本書P.6に掲載したQRコードを読み込んでインストールしてください。

1 サインアップを始める

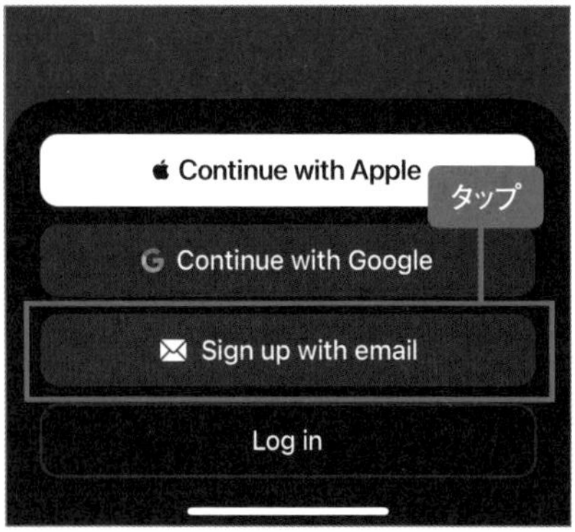

ChatGPTアプリを開き、「Sign up with email」をタップする

COLUMN

既存アカウントを使う場合は

OpenAIのアカウント作成は、Apple IDやGoogleアカウントと連携させることができます。連携させると、そのアカウントの情報でログインできるようになるので非常に便利です。
なお、連携させた場合でも手順6以降の操作が必要になります。

2 メールアドレスを入力する

「Create your account」画面が表示されるので、「Email address」にメールアドレスを入力して「Continue」をタップする

3 パスワードを設定する

パスワードの入力画面が表示される。ログインするときに使うパスワードを決めて「Password」に入力し、「Continue」をタップする

4 メールが送信されたことを確認

OpenAIから認証用のメールが送信されると「Verify your email」と表示される。「Open Mail App」をタップするとメールアプリが起動する

5 受信したメールで認証する

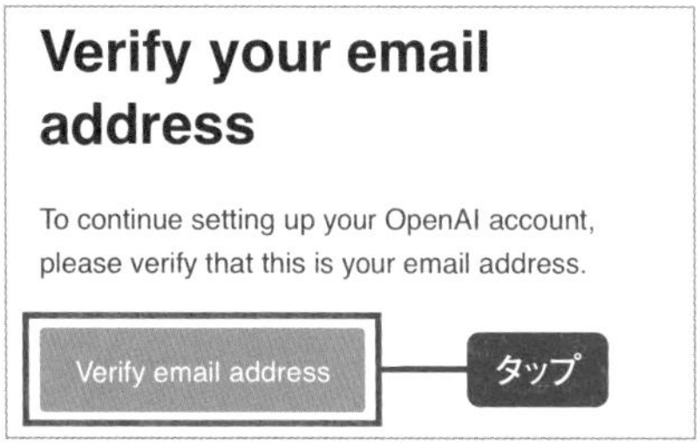

メールアプリを開き、OpenAIから届いたメールにある「Verify email address」をタップする

6 名前と生年月日、電話番号を入力

この画面が表示される。名前（「名」と「姓」）と生年月日、SMSが受信できる電話番号を入力し、「Continue」をタップする

7 人間であることを確認

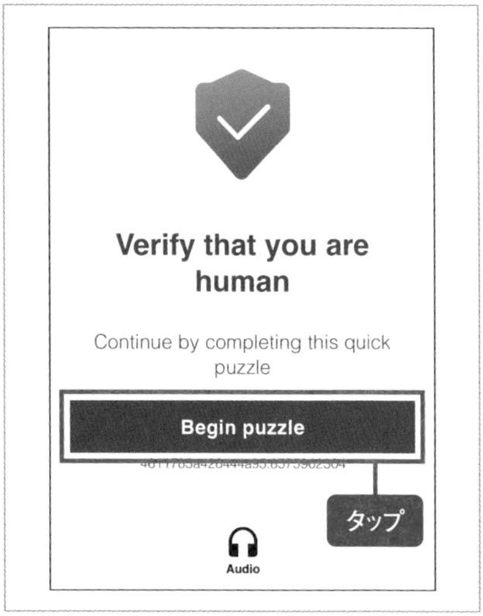

「Verify that you are human」画面が表示される。「Begin puzzle」をタップする

8 パズルを回答して提出する

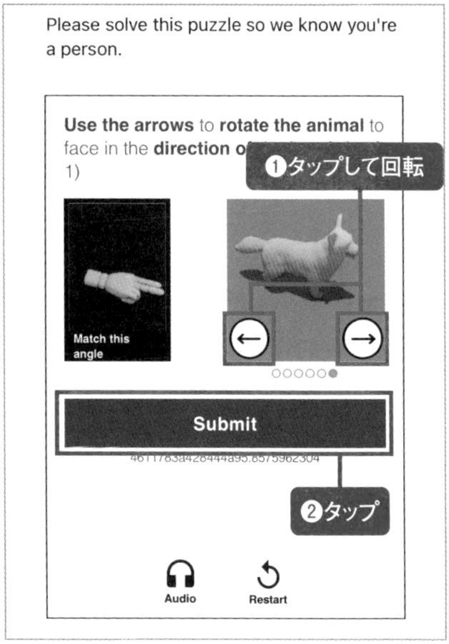

動物のイラスト下部にある矢印（「←」「→」）をタップして動物を回転し、手のイラストが示しているのと同じ方向に頭を向ける。「Submit」をタップする

9 人間であることの確認が完了する

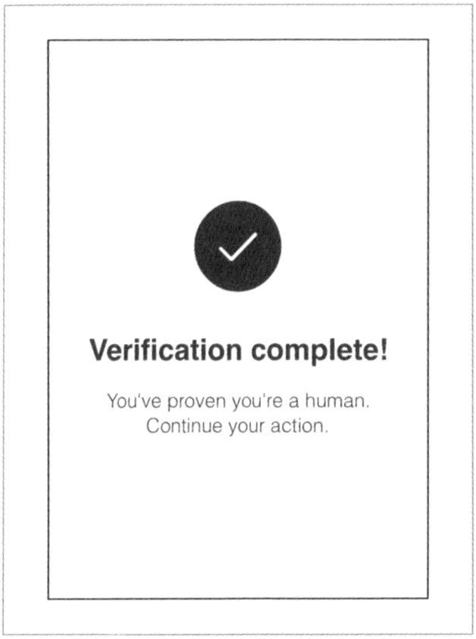

「Verification complete!」と表示され、SMSに認証コードが送信される。検証に失敗（パズルに誤回答）した場合は、再度、パズルを解き提出する

10 届いたコードを入力する

「Verify phone number」画面が表示される。SMS（ショートメッセージ）に届いた6桁のコードを入力する

11 案内を確認する

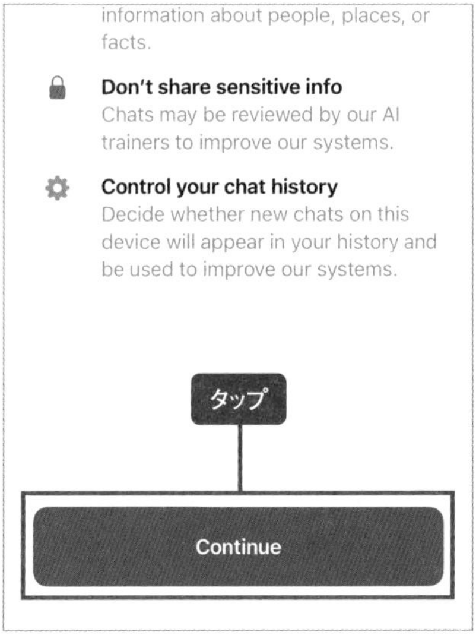

これでOpenAIのアカウント作成が完了した。ChatGPTの案内が表示されるので「Continue」をタップする

12 チャット画面が表示される

ChatGPTのチャット画面が表示される。これでChatGPTが利用できるようになった

ログインやサインアウトの方法

別のスマホに機種変更した場合、新しいスマホでアプリをダウンロードしてログインすれば継続してChatGPTを利用できます。そのため、アプリでのログイン方法とサインアウト方法は覚えておくようにしましょう。

ログインする

1 「Log in」をタップする

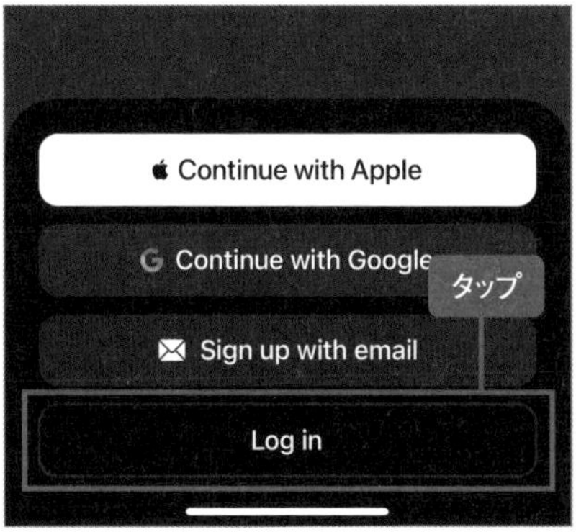

アプリを開いたら、「Log in」をタップする。アカウント連携で登録した人は、そのアカウントのボタンをタップする

2 メールアドレスとパスワードを入力

メールアドレスを入力し「Continue」をタップ。次にパスワードを入力して「Continue」をタップすればログインが完了する

サインアウトする

1 設定画面を表示する

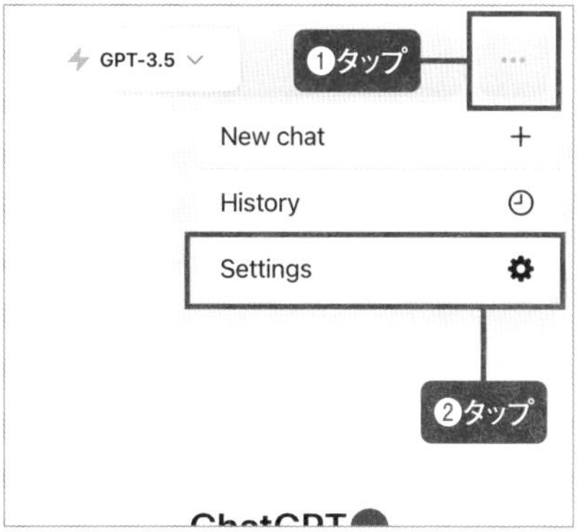

画面右上の「…」→「Settings」をタップする。なお、Android版は、画面左上の「≡」→「Settings」をタップする

2 設定画面を表示する

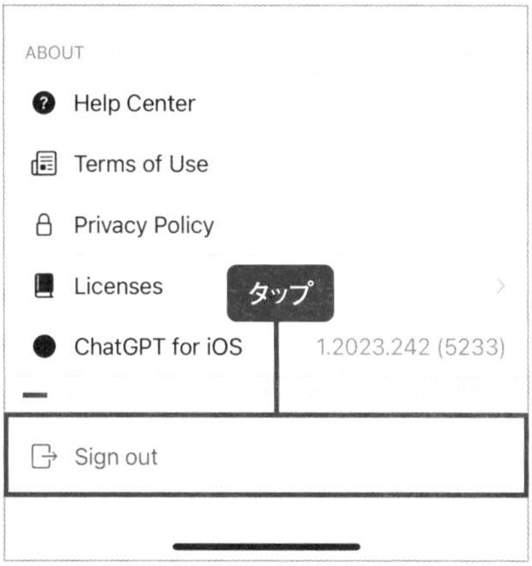

設定画面が表示されるので「Sign out」をタップする

パソコンでの基本的な使い方を知っておく

ChatGPTに質問してチャットを始める

ChatGPTの基本的な使い方は、一般的なチャットと同様です。まず、自分が質問を入力してChatGPTに送信します。すると、その質問に対してChatGPTが回答を返します。このように質問と回答を会話のように繰り返していくのが、基本的な使い方となります。

ChatGPTでは、入力される質問のことを「プロンプト」と呼びます。このプロンプトに詳細な条件を含めることで、ChatGPTは精度の高い回答をするようになります。詳しくは、本書P.8以降を参照してください。

1 質問を入力する

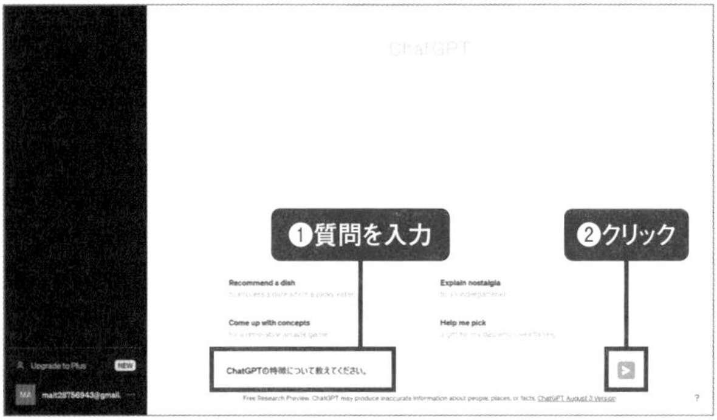

ChatGPT（https://chat.openai.com/）を開き、画面下部のボックスに質問（プロンプト）を入力し、紙飛行機アイコンをクリックする

2 回答が表示される

質問の下にChatGPTからの回答が表示される。回答の右側にあるコピーアイコンをクリックすると、回答内容をコピーできる

入力済みの質問を編集する

入力したプロンプトを修正して再質問し、新しい回答を得ることができます。誤情報の訂正、不明確なプロンプトの修正といった場面で使うといいでしょう。なお、修正前のプロンプトと回答は上書きされずに別のバージョンとして保存されるので、いつでも参照できます。

1 プロンプトの編集を始める

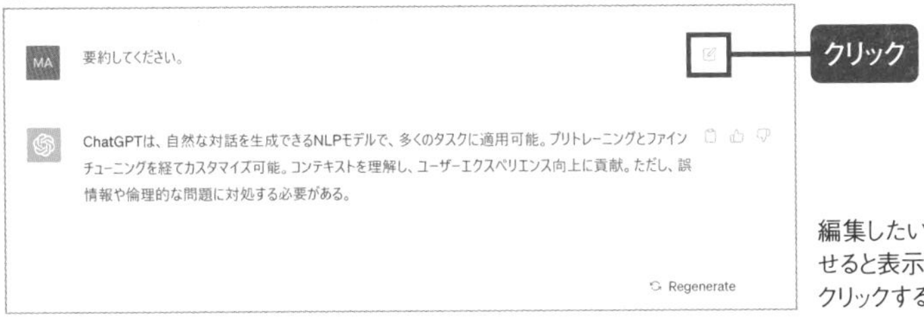

編集したい質問にマウスを合わせると表示される編集アイコンをクリックする

2 新しいプロンプトを送信する

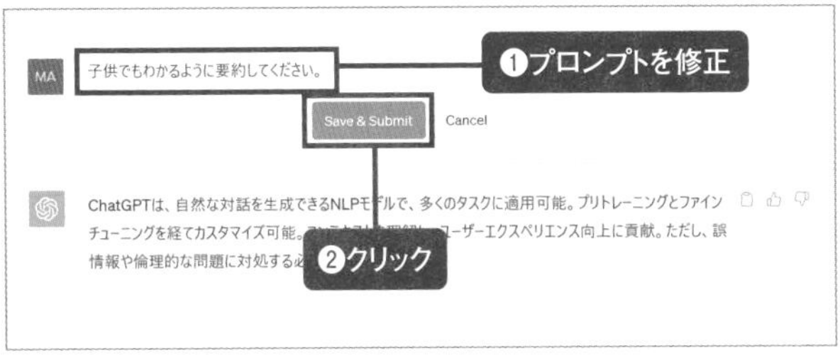

プロンプトが編集できるようになるので、プロンプトを修正して「Save&Submit」をクリックする

3 新しい回答が表示される

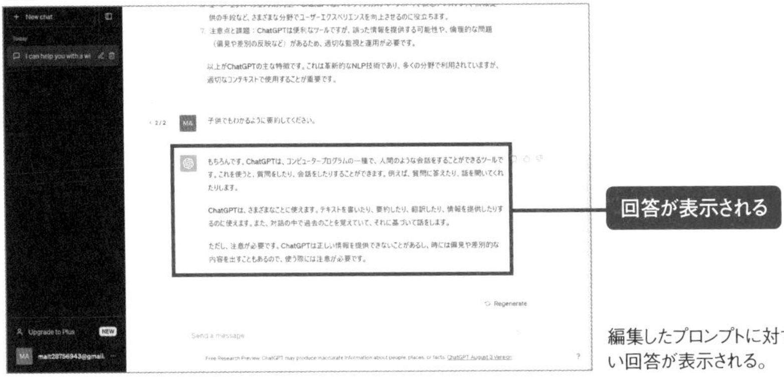

編集したプロンプトに対する新しい回答が表示される。

4 修正前後の質問と回答を表示

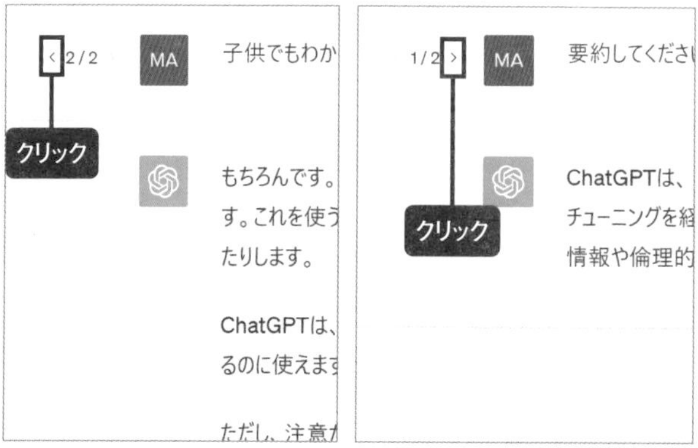

修正前のプロンプトとその回答は、すべて履歴として保存される。修正したプロンプトの左側に表示されている「<」「>」をクリックすると、プロンプトと回答の履歴を切り替えて表示できる

5 質問を変えずに回答を再生成する

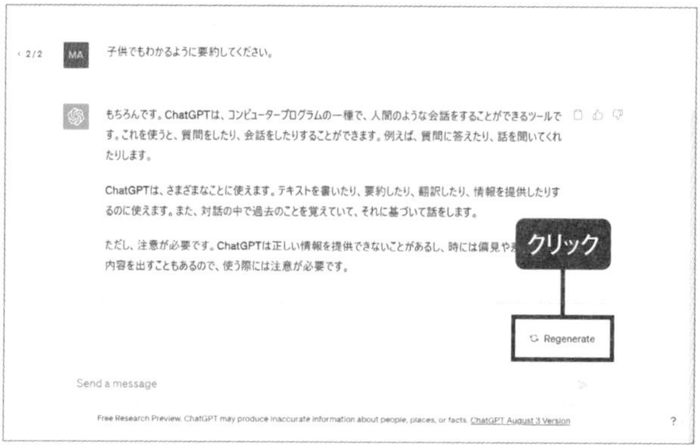

ChatGPTから期待どおりの回答が返ってこなかった場合は、「Regenerate」をクリックする。同じプロンプトで回答が再生成されて表示される

6 再生成した回答を切り替える

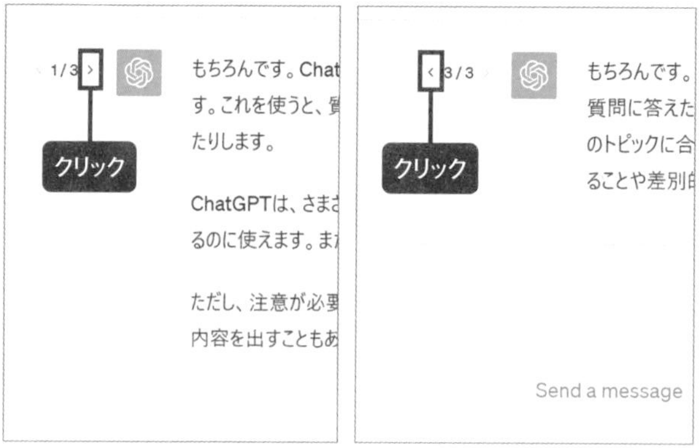

回答を再生成した場合も、古い回答は履歴として保存されている。回答の左側に表示されている「<」「>」をクリックすると、回答の履歴を切り替えて表示できる

別の話題でチャットを始める

ChatGPTは、同じチャットでの質問と回答を記憶していくので、会話を続けることによってより深化した回答が返ってきます。そのため、突然別のテーマで質問すると、期待した回答が得られない可能性があります。もし別の話題で会話をしたいときは、新しいチャットを作成します。

1 プロンプトの編集を始める

新しいチャットを始めるには、画面左側のサイドバー上部にある「New chat」をクリックする。新しいチャット画面が表示されるので、あとは同じようにプロンプトを入力してチャットを始めればよい

2 以前のチャットを開く

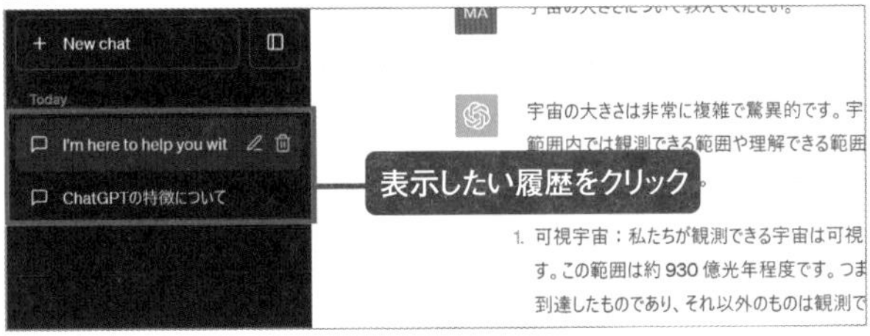

サイドバーには過去のチャット履歴が表示されている。過去のチャットを再開したい場合は、開きたいチャット名をクリックすればよい

COLUMN

サイドバーの表示／非表示を切り替える

パソコンの画面があまり広くない場合、サイドバーが表示されていると邪魔に感じることがあります。この場合は、サイドバーを非表示にするのがおすすめです。サイドバーの表示と非表示を切り替えるには、サイドバーの右上にあるアイコンをクリックします。

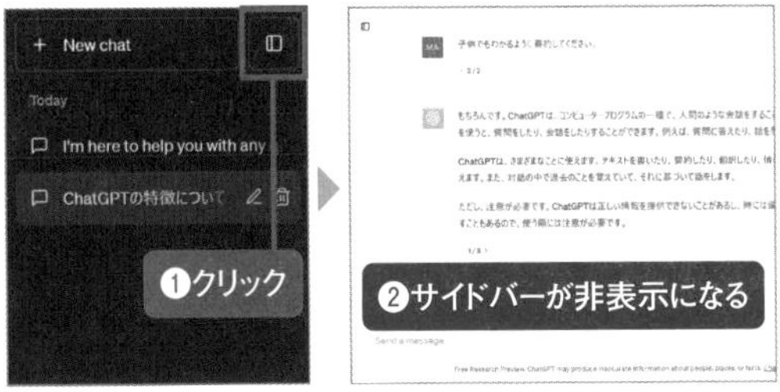

サイドバーの右上にあるアイコンをクリックすると、サイドバーが非表示になる。再表示したい場合は、同じアイコンを再度クリックする

チャット履歴の管理

チャット履歴の名前は自動で付けられるため、場合によっては名前がわかりづらいことがあります。あとから探しやすくするためにも、重要なチャット履歴はわかりやすい名前に変更しておくのがおすすめです。また、チャット履歴は放っておくとドンドン増えていくので、不要な履歴は適宜削除しておいたほうがいいでしょう。

1 チャットの名前を変更する

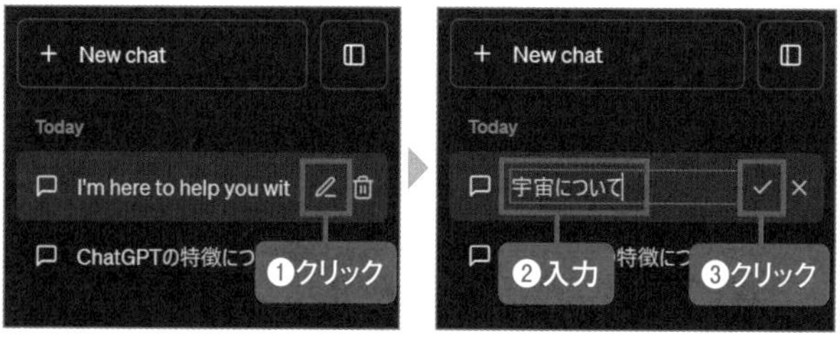

名前を変更するチャット履歴をクリックする。右側に表示された鉛筆アイコンをクリックして名前を変更し、チェックマークをクリックする

2 チャット履歴を削除する

削除するチャット履歴をクリックする。削除を確認するメッセージが表示されるので、「Delete」をクリックする

COLUMN

チャット履歴を共有する

ChatGPTには、一連のチャット履歴を閲覧できるURLを生成する共有機能があります。チャットの情報をほかの人と共有したいときに使うと非常に便利です。ただし、そのチャットの会話履歴がすべて共有されるため、見られたくない内容が含まれている場合は共有しないようにしましょう。

共有するチャット履歴を開き、画面右上の共有アイコンをクリックする。「Share Link to Chat」画面が表示されるので、「Copy Link」をクリックする。共有リンクがコピーされたので、このリンクをメールやメッセージなどで知らせれば共有できる

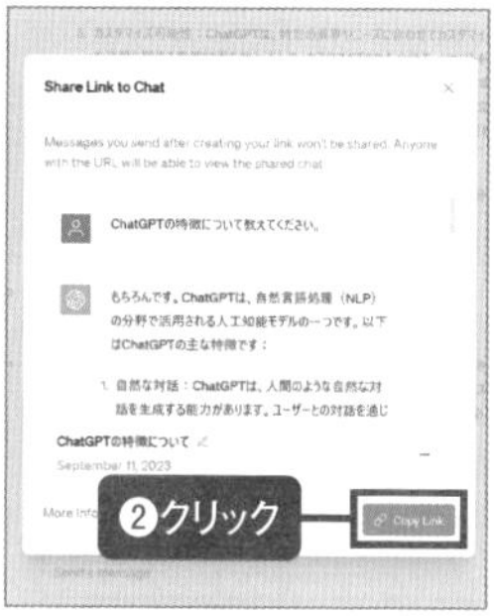

スマホでの基本的な使い方を知っておく

アプリでチャットを始める

ChatGPTアプリを使う場合も、基本的にパソコンでのやり方と変わりません。質問（プロンプト）を入力して送信すれば、それに対してChatGPTが回答を返します。あとは、その回答に対して質問して会話を続けていきます。

1 質問を入力する

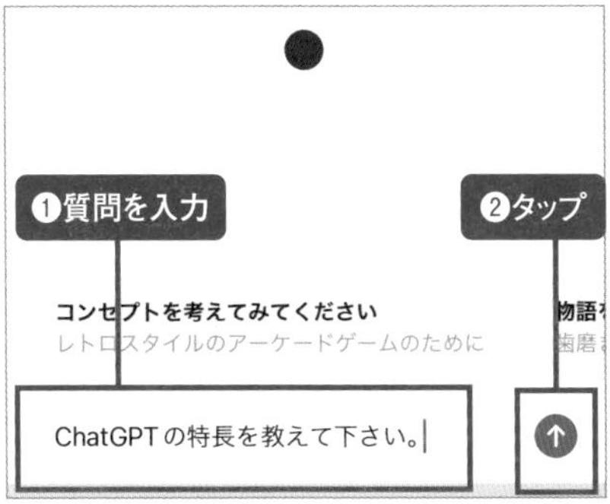

ChatGPTアプリを開き、画面下部にある入力欄に質問（プロンプト）を入力し、「↑」をタップする

2 回答が表示される

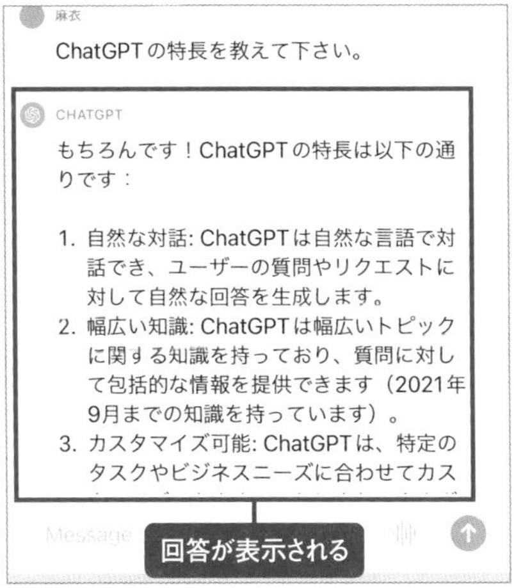

質問の下にChatGPTからの回答が表示される

3 次の質問を入力する

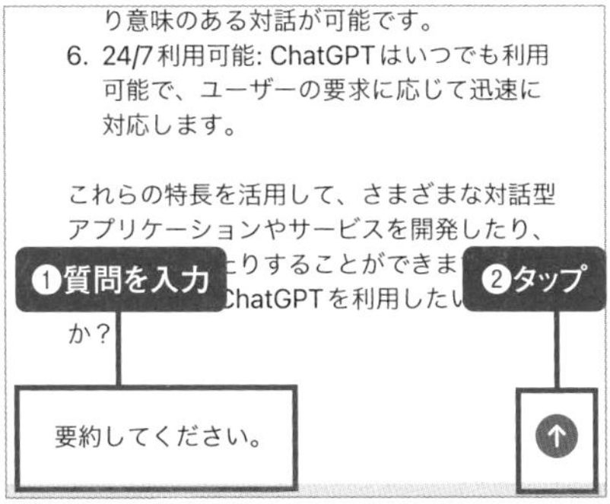

さらに質問をする場合は、同様に画面下部の入力欄にプロンプトを入力して「↑」をタップする

4 続きの回答が表示される

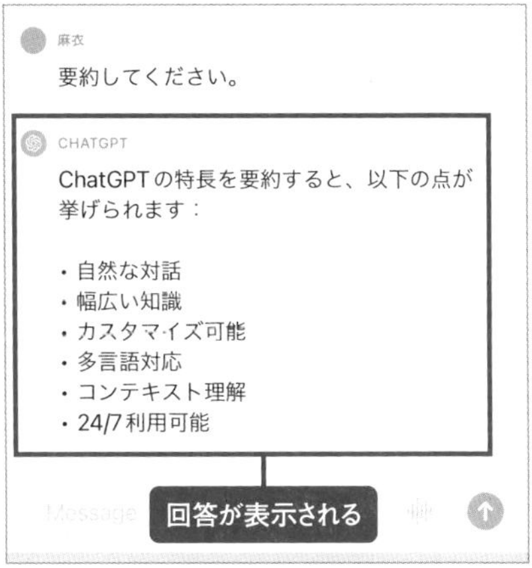

続きの質問に対する回答が表示される。このように会話を続けていき、より詳しい回答を求めていく

回答を再生成する

ChatGPTは同じプロンプトでも同じ答えが返ってくるとは限りません。そのため、同じプロンプトで別の回答が欲しい場合は、回答を再生成します。なお、パソコンの場合は最新の回答しか再生成できませんでしたが、アプリ版の場合は過去の回答も再生成が可能です。ただし、アプリ版では入力済みの質問を編集することはできません。

1 回答をロングタッチする

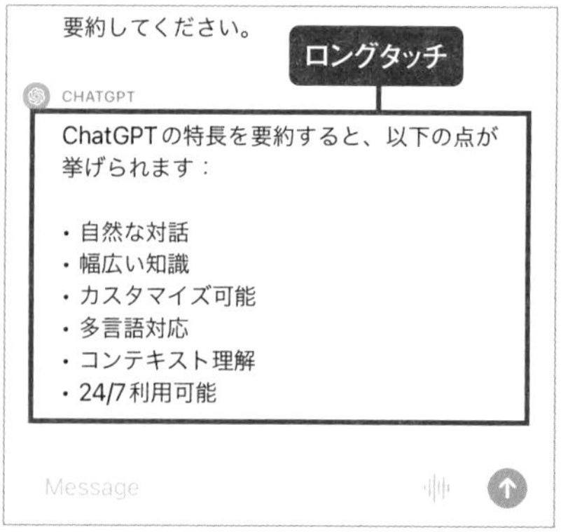

再生成したい回答をロングタッチする

2 回答を再生成する

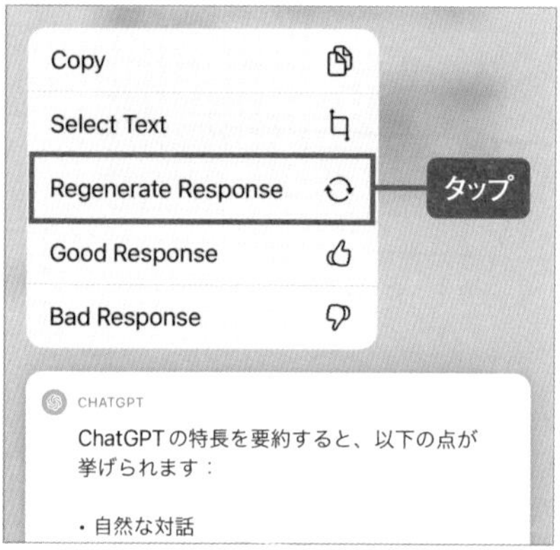

メニューが表示されるので、「Regenerate Response」をタップする

3 新しい回答が表示される

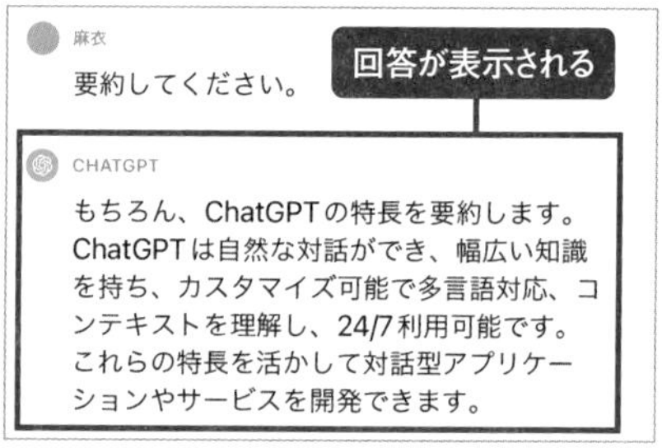

回答が再生成され、新しい回答が表示される

COLUMN

話しかけて入力もできる

スマホ用のChatGPTアプリでは、話しかけて質問を入力することも可能です。スマホならではの機能なので、ぜひ活用してみましょう。

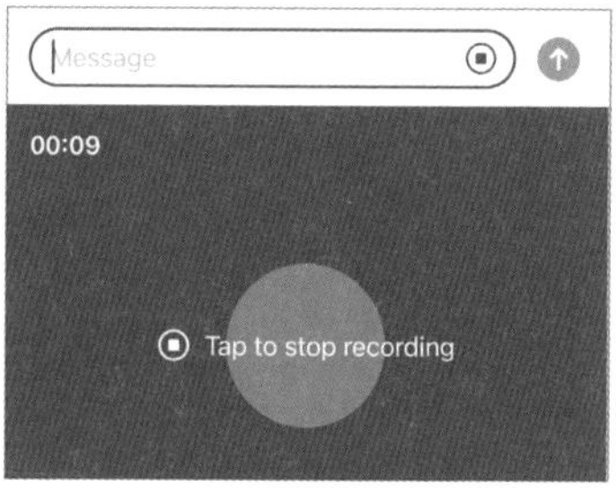

音声入力を使うと、話しかけて質問を入力できる

新しいチャットの作成／チャット履歴の閲覧

ChatGPTアプリでは、新しいチャットの作成や過去のチャット履歴の閲覧がメニューから簡単に操作できます。これらの操作は頻繁に使うため、ぜひマスターしておきましょう。

新しいチャットの作成

1 新しいチャットを作成する

新しいチャットを作成するには、画面右上の「…」→「New chat」（Android版は、画面右上の「＋」）をタップする

2 新しいチャットが始まる

新しいチャット画面が表示される。あとは質問を入力してチャットを開始すればよい

チャット履歴の閲覧

1 チャット履歴を表示する

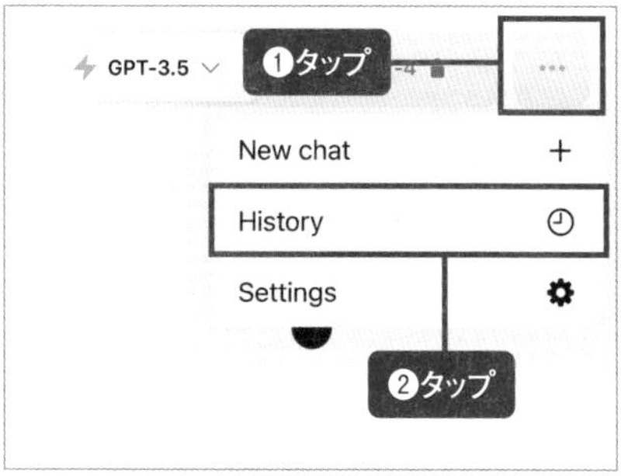

チャット履歴を開くには、画面右上の「…」→「History」（Android版は、画面左上の「≡」→「History」）をタップする

2 チャット履歴を選択する

チャット履歴が表示されるので、開きたいチャット名をタップする

STAFF

執筆協力
岩渕 茂／宮下由多加／折中良樹／金子正晃／守屋恵一

編集協力
クライス・ネッツ

カバーデザイン
小口翔平、村上佑佳（tobufune）

本文デザイン
川瀬 誠

本文DTP
関谷和美

カバー・表紙・本文イラスト
セキサトコ

ChatGPT120％質問術

2023年11月8日 第1刷発行
著者　ChatGPTビジネス研究会
発行人　蓮見清一
発行所　株式会社宝島社
〒102-8388
東京都千代田区一番町25番地
電話：（編集）03-3239-0928
（営業）03-3234-4621
https://tkj.jp

印刷・製本　サンケイ総合印刷株式会社

ISBN 978-4-299-04793-9